Take 7

Vonne van der Meer

Take 7

2007
Uitgeverij Contact
Amsterdam/Antwerpen

Eerste druk (gebonden)
Tweede druk (paperback)

© 2007 Vonne van der Meer

Omslagontwerp en vormgeving binnenwerk Suzan Beijer

Foto auteur Ronald Hoeben

ISBN 978 90 254 0335 5 (gebonden)

ISBN 978 90 254 1707 9 (paperback)

D / 2007 / 0108 / 912

NUR 301

www.uitgeverijcontact.nl
www.vonnevandermeer.nl

'Het oog ziet alleen wat de geest bereid is te begrijpen.'

HENRI BERGSON

Een

Er staan wel twintig torenflats aan de boulevard van Torremolinos. Tussen tien en elf uur 's ochtends zie je de tijdelijke bewoners op het balkon verschijnen, zich gapend uitrekken. Ze overleggen: eerst een duik in het zwembad en dan ontbijten, of andersom. Worden er verse broodjes gehaald of gaan we naar Tony's Corner, waar je voor een paar euro zoveel mag eten als je wilt: eieren met spek, worstjes, cornflakes...

Lars ontbeet nooit en hoefde met niemand rekening te houden. Met een sigaret tussen de lippen liep hij het balkon op en leunde over de rand. Hij tuurde door een elegante met paarlemoer ingelegde toneelkijker – ooit gekocht op een rommelmarkt – naar de toeristen op de boulevard. Zelfs nu, op dit vroege uur, liepen sommigen al aan een ijsje te lebberen. Het was onmogelijk er niet naar te kijken. Het drong zich aan hem op als een scène uit een pornofilm tijdens het zappen. Kijk, bij die platinablonde op de witte cowboylaarzen liep het ijs over haar kin, via haar hals naar de spleet tussen haar siliconenborsten. Hij was gekomen voor palmbomen, strand, en zee met aan de horizon een vrachtschip misschien, op weg naar Tanger. Het was er allemaal. De palmen stonden er echt, soms wuifden ze. Die streep blauw was de Middellandse Zee en geen opgeblazen foto in een reisbureau. Maar het enige wat hij rook, was zonnebrandolie, frituurvet en uitlaatgassen van terreinwagens.

Ik was er niet bij maar het is niet moeilijk voor te stellen hoe Lars daar heeft gestaan, misselijk van verveling. Na een lange winter hunkerde hij naar zon, naar licht – net als ik toen ik naar Andalusië vluchtte – maar dit oord maakte hem nog somberder dan de grijze lucht boven Denemarken. Wat deed hij hier, wat moest hij met deze dag? Op het strand dommelde hij steeds weg, te veel slaap maakte hem apathisch. Hij miste zijn huisgenoten in Kopenhagen, in geen drie dagen had hij een zinnig woord met iemand gewisseld. Door al die hazenslaapjes overdag sliep hij 's nachts slecht en werd hij steeds verstrooider. Hij wist nu al niet meer of de half opgerookte sigaret die hij zojuist over de rand van het balkon had gegooid, wel uit was. Snel deed hij een stap achteruit zodat hij vanaf de straat niet zichtbaar was.

Bladerend door een reisgids viel zijn oog op een diep ravijn. Hij besloot naar Ronda te rijden, om de brug te zien. Mooie brug om vanaf te springen, mompelde hij en hij betreurde het dat er niemand in het appartement was die hierom glimlachte. Toen hij las hoe geliefd het oude stadje was bij dagjesmensen uit Marbella en dat ook de touroperators uit Torremolinos het hadden ontdekt, veranderde hij van plan. Hij ging niet uren in een warme auto zitten om weer onder de voet te worden gelopen.

Hij wilde de gids net dichtslaan en zomaar wat gaan rijden, weg van de kust, toen zijn aandacht getrokken werd door een zwart-witfotootje: een vrouw in een kuitlange badjas, leunend tegen een Dorische zuil. Ze had haar ene been licht opgetrokken waardoor de jas een stukje openviel. Net niet te ver, net ver genoeg. Hij zou er wat voor geven zijn hand even op haar knie te mogen leggen.

Los Baños de Calderón lag in de heuvels boven Málaga, las hij, tot in de jaren zeventig was het zeer in trek. De dichter Byron had er in het begin van de negentiende eeuw gekuurd, maar tegenwoordig had niemand er nog iets te zoeken. Toen Lars een kwartier later in zijn auto stapte, wist hij niet precies wat de doorslag had gegeven: de paar haast afwerende zinnen die er aan het plaatsje gewijd waren, of het gedateerde fotootje van de vrouw in haar filmsterrenpose.

Rond twaalf uur arriveert Lars in ons dorp. Hij zet zijn auto op de parkeerplaats, vlak naast de bloembak. De brede bak is versierd met een tegeltableau dat een bron voorstelt, de bron waaraan Calderón zijn bestaan te danken heeft. Het blauwe glazuur is dof geworden, sommige tegels zijn afgebrokkeld, andere gebarsten. *Bienvenido a los Baños de Calderón* staat er boven de afbeelding in de tegels geschreven. In de bloembak groeien al heel lang geen plantjes; af en toe nestelt een zwerfkat zich in het restje kurkdroge aarde.

Lars loopt de Calle de los Baños in, langs het hotel van Federico. De luiken zijn dicht, al twintig jaar. Federico, zijn vrouw Margarita en hun dochter bewonen twee kamers aan de achterkant. Geen teken van leven; het lijkt alsof het huis leegstaat. De letters boven de deur zijn onleesbaar. Alleen wie nog heeft meegemaakt dat ze ieder voorjaar werden overgeschilderd, weet dat hier ooit Hotel Mimosa stond.

Daarnaast: het veel grotere hotel van Federico's zwager, later gebouwd en twee verdiepingen hoger. De zware dubbele deur is nog niet door termieten aangevreten, maar het pleisterwerk is afgebladderd. In holtes en kieren groeien roze vetplantjes, die niet zouden misstaan in de bloembak aan het begin van het dorp. In de zaal waar eens werd gewalst, stalt een boer nu zijn dorsmachine. De kroonluchters uit Venetië die hier begin vorige eeuw verpakt in stro in kisten op muilezels naartoe zijn gebracht, hangen er nog steeds hoopvol te wachten op betere tijden.

Het hotel lijkt op een Moorse burcht, door de uitkijktoren op een van de hoeken. Vroeger zag je er nog wel eens een hotelgast over de heuvels uitkijken, tegenwoordig wordt de toren bewoond door Bernardo's duiven. De bankjes in de toren, de bogen, het pannendak, alles zit onder de witte smurrie. Officieel heet het Gran Hotel El

Mundo, maar de dorpsbewoners noemen het Hotel Duivenpoep. Bernardo, bijgenaamd *el Esponja*, de Spons, vanwege zijn drankgebruik, houdt alleen de kamers op de begane grond beschikbaar voor de enkeling die ons dorp aandoet.

Binnen een minuut of tien heb je ons dorp wel gezien, als je tenminste in de hoofdstraat blijft. Lars merkt de steeg tussen de kerk en Hotel Duivenpoep niet op. In de Calle de la Iglesia staat de dorpsschool. Hier onderwijst Carlos een klein groepje kinderen. Omdat hij van het schooltje de enige onderwijzer is, heeft hij zijn leerlingen bijeengedreven in één klaslokaal. Heldere kinderstemmen weerkaatsen tegen de gevels aan de overkant. Lars hoort ze niet en evenmin Elisa, die iedere dag omstreeks deze tijd accordeon studeert.

Halverwege de Calle de los Baños – in de bocht die het benedendorp van het bovendorp scheidt – ligt het dan: het zwavelbad. Als je er voor staat, begrijp je wat de vreemde lucht is die in dit deel van Calderón hangt als zweet in een oude laars. Naast het hek: een bordje met openingstijden, maandag tot en met zaterdag van tien tot zeven. Lars rammelt even aan het kettingslot en loopt dan verder, in de richting van het dorpsplein. Op houten bankjes die een halfrond vormen om een reusachtige ficus, zitten wat oude mannen te praten. Nieuwsgierig wordt hij opgenomen, een toerist is hier een bezienswaardigheid.

Aan het plein liggen geen winkels, alleen een café-restaurant en een kiosk waarnaast op een stoel een vrouw zit die loten verkoopt. Ze is blind. Iedere dorpeling die een tijdschrift komt halen bij de man in de kiosk, elk kind dat een rolletje snoep koopt, maakt ook even een praatje met haar. Wanneer een jonge vrouw zonder groeten wegduikt, slaat de blinde met haar witte stok op de keien waarna de ander op haar schreden terugkeert. 'Mónica...' schalt het over het plein, een kreet alsof er iemand wordt gewurgd. 'Mónica, ven...' Het gekeuvel op de bankjes, de gesprekken bij de kiosk, alles gaat gewoon door. De duiven blijven koeren. Zelfs de vrouw die met een bungelend dood konijn in de hand onder het raam door loopt waaruit de wanhoopskreten klinken, slaat er geen acht op.

Lars kijkt en kijkt. Hij heeft het gevoel dat hij er nu pas is, in Andalusië... Wat deze dag hem ook brengen mag, hij zál naar dit plein terugkeren. Terwijl hij zijn weg door het dorp vervolgt, blikt hij nog één keer achterom. Een man koopt een lot van de blinde vrouw en drukt er, voor hij het in zijn borstzak steekt, een kus op.

Hij dacht dat hij Calderón ruimschoots achter zich had gelaten toen hij een radio hoorde. Een stadion met juichende mensen en daaroverheen de stem van een verslaggever. Even later zag hij een huis, tegen de heuvel aangebouwd, en op steenworp afstand een plomp gebouwtje met een schoorsteen. Er kwam geen rook uit. Tegen de muur lag een berg schalen en vazen, half overwoekerd met koolzaad en klaprozen. Zo te zien was het aardewerk niet kapot. Het lag daar omdat het er was neergelegd en niemand op het idee gekomen was het weg te halen. Was hij de enige die er de schoonheid van inzag? Hij bleef staan en nam een foto.

Na een paar minuten hoorde hij de radio niet meer. Alleen zijn eigen voetstappen, zijn ademhaling, het bonzen van zijn hart. Wat hijgde hij, zo steil was het toch niet. Een paar maanden terug, vlak voor zijn vijfendertigste verjaardag, was hij gestopt met roken maar hij had het niet lang volgehouden. Stel dat hij hier op dit pad in elkaar zakte en moederziel alleen stierf, stel... Hij bleef staan tot zijn ademhaling weer regelmatig werd. Een paar uur geleden had een plotselinge, pijnloze dood hem een mooie oplossing geleken, nu was hij blij dat hij door dit landschap liep, de zuivere lucht inademde. In deze droge warmte rook hij meer, en scherper.

Gretig nam hij het uitzicht in zich op: een groene handpalm met amandelbomen. Er stond er nog een in bloei. Was het op die plek vochtiger? Als alle bomen tegelijk bloeiden – wit en petticoatroze door elkaar – was het misschien te veel van het goede, zo lieflijk dat je er wee van werd. Nu was het precies goed. Precies goed... Het was lang geleden dat hij die sensatie had gehad, alleen of met iemand samen.

Terwijl hij hier stond, herinnerde hij zich een film. Een dal... uitbundig bloeiende bomen... een man en een vrouw. Eerst kwamen de beelden terug, toen het verhaal: een geoloog of bioloog op expeditie ontdekt bij toeval een vallei. Er wonen uitsluitend jonge mensen, niemand is er ouder dan dertig. De onderzoeker wordt tot over zijn oren verliefd op een vrouw, en zij op hem. Maar als het moment is aangebroken dat hij met haar wil vertrekken, stribbelt zij tegen. Ze kan hem niet uitleggen waarom, hij zal haar toch niet geloven... tweestrijd, tranen...

De laatste scène stond in zijn geheugen gegrift: terwijl

de vrouw achter haar man aan het dal uitloopt, wordt ze zwakker en zwakker. Hij moet haar op zijn rug de laatste bergpas over dragen. Op het hoogste punt staat hij stil, zodat zij nog één keer om kan kijken naar het dorp waar zij haar jeugd heeft doorgebracht. Dan hoort hij haar kreunen. Wanneer hij haar voorzichtig van zijn rug laat glijden en zich over haar heen buigt, ziet hij dat zijn geliefde veranderd is in een stokoud vrouwtje dat op het punt staat haar laatste adem uit te blazen.

De titel wist hij niet meer, en ook niet wie de film had gemaakt. Niet Orson Welles, niet Douglas Sirk, niet Dreyer, het was geen meesterwerk. Maar nu hij terugdacht aan die slotscène, aan het eerst gladde en even later gerimpelde gezicht van de hoofdrolspeelster, en hoe zij in een paar seconden ineenschrompelde tot een mummie in foetushouding, huiverde hij. Vlug trok hij de dop van zijn lens en nam een foto.

Eerst hoorde hij voetstappen, toen pas zag hij een vrouw over het lager gelegen karrenspoor richting Calderón lopen. Zijn eerste indruk van mij was dat ik gebocheld was. Pas toen ik dichterbij kwam, zag hij dat ik een rugzak droeg waaruit twee waterflessen staken. Misschien was hij in verwarring over mijn leeftijd: mijn donkerblonde haar is met grijze strengen doorschoten, maar ik beweeg me als een jongen van achttien. Minstens tweemaal per week leg ik het pad door het dal af en ik ken iedere steen, versmalling, kuil, boomwortel.

Toen ik merkte dat de man die ik uit de verte al had gezien, aan het fotograferen was, hield ik mijn pas in: hij wilde vast geen vreemde vrouw op zijn vakantiekiekje.

Maar hij groette en gebaarde dat ik door kon lopen. Terwijl ik mijn weg vervolgde, drukte hij af. In de stilte hoorde ik het al te bekende rasperige klikje.

En nog een.

En nog een.

Een zoen, alleen daarmee kon ik het vergelijken. De verwarring als een broederlijk bedoelde zoen door het tegelijk wegdraaien van de hoofden een kus op de lippen wordt, in de nek, in de hals, daar waar mijn huid zacht is als rijstpapier. In geen zeven jaar – zo lang als Ian dood is – was ik op mijn lippen gekust, zelfs niet per ongeluk. Zag hij dat ik bij het tweede of derde klikje met een schokje rechter op ging lopen? Mijn kin in de lucht stak? Mijn buikspieren aanspande? Ik ben lang, en altijd zo tenger geweest. Ik ben nooit moeder geworden, maar toen ik ophield met bloeden kreeg ik een buik... Juist nu, nu ik nooit meer een kind zal krijgen, wordt er nogal eens verbaasd naar mijn bekken gestaard: het zal toch niet, op haar leeftijd? Hij nam wel vijf, zes foto's van het dal, van mij, van mij in het dal. Toen ik hem niet meer hoorde klikken, overwon ik mijn schroom. Ik liep een paar passen de heuvel op zodat ik niet hoefde te roepen.

'Als je dit pad volgt, zie je in de verte de Middellandse Zee. Is ook een mooi plaatje. Een minuut of tien als je stevig doorloopt.'

Ik had me in het Engels tot hem gericht en hij bedankte me ook in het Engels. In het stille dal kreeg ieder woord een zekere nadruk. 'Ik had dit absoluut niet verwacht zo dicht bij de kust,' zei hij terwijl hij aan een knopje van zijn camera morrelde. Met een bezorgd gezicht hield hij hem op zijn kant, draaide aan de lens. Was zijn toestel kapot, waren alle foto's mislukt?

'Je hebt zowat een heel rolletje volgeschoten, is 't niet?'
'Dat moet wel.'
'Waarom, als ik vragen mag?'
'Om die ene foto te kunnen maken.'

Die ene goeie... dé foto... Het klonk me vertrouwd in de oren. Ian zei altijd: ik heb hem. Of: dit was hem. Toch betwijfelde ik of deze man ook fotograaf was. Ian placht eindeloos het juiste moment af te wachten en als het dan zover was, krulde hij zich om zijn toestel als een jager om de trekker van zijn geweer.

'Is het voor jezelf, voor je plezier?' Mijn blik gleed naar zijn schoudertas waarop in grote letters, rood op een grijze ondergrond, Cinetotale stond. 'Of ben je fotograaf?'

'Voor mijn plezier, voor mijn werk... dat is voor mij hetzelfde.'

Ik vroeg niet door want ik begreep wat hij bedoelde. Als ik over een lastig te vertalen woord nadenk, houdt dat niet op als ik mijn pen neerleg. Het spookt door mijn hoofd terwijl ik een perzik schil, mijn tanden poets, mijn lippen stift. Ik had wel langer met hem willen praten, er komt hier zo zelden een vreemdeling. Soms snak ik naar een gesprek dat verder gaat dan de laatste dorpsroddel. Maar ik ben het converseren verleerd, of misschien ben ik er nooit goed in geweest. In Calderón is dat niet erg, Spanjaarden praten ook als er niets te zeggen valt. Ze hebben nog steeds niet opgemerkt dat ik nogal zwijgzaam ben. In het begin weten ze het aan mijn gebrekkige Spaans, tegen de tijd dat ik de taal beter sprak, viel het niemand meer op.

Terwijl ik doorliep, hoorde ik in mijn rug weer het geklik van zijn camera. Een geluid dat de ene na de andere herinnering los tikte, aan mijn reizen met Ian. Neuriënd haastte ik me over het slingerende pad naar het dorp. Toen Lars daar drie kwartier later moe en dorstig arriveerde, had ik Calderón alweer verlaten, via het pad langs de Moorse ruïne. Ik was er niet bij toen hij voor de tweede keer die dag het dorp binnenliep. Wat zich op de Plaza Nueva heeft afgespeeld, weet ik van anderen, en door over hem te fantaseren. Zo probeer ik hem nu al bijna een jaar lang te ontraadselen.

Op het plein had zich rond een buste op een sokkel (Bernardo's grootvader, maar dat kon Lars niet weten) een groep mannen verzameld. Aan weerszijden van het beeld stond een mast met de vlag in top; de Spaanse en die groen-wit-groene moest de vlag van Andalusië zijn. Een van de mannen droeg het uniform en de pet van de *Policía Local*, een ander rammelde met een sleutelbos. Het leek net alsof die bronzen kop de leider van het groepje was. Lars wilde omkeren en maken dat hij wegkwam. Op reis door Turkije had hij eens wat foto's genomen in een gebied dat militair terrein bleek te zijn. Drie mannen hadden hem plotseling de weg versperd, hem gefouilleerd, zijn camera afgepakt, het filmpje eruit getrokken.

Hij sprak zich vermanend toe: rustig doorlopen, er is niets aan de hand. Mannen in uniform gaven hem nu eenmaal altijd het gevoel dat hij elk moment gearresteerd kon worden, en dat dit volkomen terecht was. Al veel eerder had moeten gebeuren.

Een man met een neus stevende op hem af. Een aardbei, glanzend rood met grote poriën, en zo kolossaal dat de kweker kans maakte in de prijzen te vallen. Hij stelde zich voor als Bernardo, burgemeester van Calderón, *bienvenido, welcome.* Het was hem ter ore gekomen dat Lars het amandeldal had gefotografeerd.

'O... maar ik heb geen bord zien staan dat het niet mocht.'

'Wie heeft gezegd dat het niet mocht? Lydia, the great woman from Holland?' Hij bracht zijn hand een flink stuk boven zijn kruin.

Lars schudde zijn hoofd. 'No, no. Maar als ik iets verkeerds heb gedaan... I am sorry. *Lo siento.*'

'No, no do not gots me wrong. I am sorry.'

Het was tamelijk vermoeiend een gesprek te voeren met iemand die zo slecht Engels sprak. Het merendeel van de woorden was niet te verstaan door een accent dat als een sterk gekruide saus iedere lettergreep doordrenkte.

'Neem zoveel foto's als u nodig heeft voor de krant. We gave so many hysterical sites: de Moorse ruïne, het klooster uit de zeventiende eeuw.' En niet te vergeten: het zwavelbad waarin lord Byron nog had rondgedobberd. Er volgde een hele reeks namen van beroemdheden die genezing hadden gevonden in het bad van Calderón. Hij hield de sleutels uitnodigend in de lucht: 'Als u geïnteresseerd bent, breng ik u er meteen naartoe.'

Lars moest even omschakelen. Zo-even dacht hij nog dat hij in de boeien geslagen zou worden, maar hij was welkom. Meer dan welkom. Men hield hem voor een journalist, of fotograaf. In ieder geval voor iemand die voor een krant werkte. Goed, als de burgemeester hem met alle geweld wilde rondleiden, hij had toch niets beters te doen. En misschien kreeg hij een spannend verhaal te horen, een tragische liefdesgeschiedenis die zich achter de dichte luiken had afgespeeld. Als hij er niets van verstond, kon hij zich altijd nog achter zijn camera verschuilen. Dat het toestel haperde, misschien zelfs wel kapot was, hoefde niemand te merken.

Bernardo stelde voor eerst een glas bier te drinken op het terras van de *taberna*, en daarna een hapje te eten. Hij stond erop dat de meneer van de krant zijn gast was. Helaas was het restaurant van Gran Hotel El Mundo tijdelijk gesloten. Het was het allerbeste restaurant van de streek maar de eetzaal werd verbouwd. Het hele plafond moest eruit vanwege een nieuwe airco, krachtiger maar ook geruislozer dan de oude. De moderne toerist was nu eenmaal veeleisend. Met een beetje geluk was de verbouwing gereed voor het seizoen echt begon. 'Mijn vrouw kookt nu zolang hier, in de *taberna*... Teresa!' riep Bernardo terwijl ze aan een tafeltje plaatsnamen.

'U bent niet de eerste die over Calderón schrijft. Grote dichters hebben de schoonheid van ons plaatsje bezongen. We hebben in *Life* gestaan en in de *Paris-Match*.' Hij legde een envelop op tafel en haalde er een stapel knipsels uit, bijeengehouden door een wasknijper. Uit beleefdheid bladerde Lars door de vergeelde artikelen. Het oudste was geschreven in 1910, het laatste dateerde uit de zomer van 1979. Hij deed even alsof hij het stuk probeerde te lezen maar zijn aandacht ging uit naar de foto ernaast. Dezelfde als in de reisgids, alleen veel groter afgedrukt. Dezelfde vrouw in badjas die, met opgetrokken been en hand op de heup, tegen een zuil leunde.

Hij boog zich dieper over de foto. Iedere andere vrouw zag er in zo'n witte badjas uit als een sneeuwpop, zij niet, het maakte niet uit wat ze droeg. Ze leek op Ingrid Bergman in haar jonge jaren, door de hoge jukbeenderen. Ze had iets melancholieks in haar blik, een blik waar hij verliefd op zou kunnen worden. Zij zou vast niet schrikken van zijn stemmingen, van zijn somberte. Als dit een krant van gisteren was geweest, had hij de burgemeester zeker gevraagd of hij haar soms kende.

Schuin achter zich hoorde hij geritsel – op slag was hij de vrouw op de foto vergeten. Eerst zag hij alleen de gekleurde plastic slierten van het vliegengordijn alle kanten opwaaien, daarna een hand, een arm, Mariángela, die het gordijn driftig opzij schoof.

Het is overdreven te beweren dat het nichtje van de burgemeester een schoonheid is. Ze heeft een aardig gezicht met regelmatige trekken en, zoals de meeste vrouwen uit deze streek, dik haar en bruine ogen. Ze is weliswaar klein van stuk, maar niet het type om nu al zo mollig te zijn als haar moeder op haar leeftijd was. Daarvoor is ze te actief, te rusteloos ook. Bedient ze in de *taberna,* dan draagt ze een zwart jurkje, het lange haar bijeengebonden in een wrong op het achterhoofd. Dan maakt ze zich niet op en draagt ze geen sieraden. Haar huid heeft de olijfmatte tint van vrouwen die snel bruin worden, maar zich sporadisch aan het zonlicht blootstellen. Ik vind dat mooi, Lars misschien ook. Wat weet ik ervan, ik kan niet navoelen wat er door hem heen ging toen ze de tafel begon te dekken, zo dichtbij dat hij haar meisjeslichaam rook.

Terwijl zij af en aan liep met gerechten – een *gazpacho* met ijsklontjes, schaaltjes met gehaktballetjes, gegrilde groene asperges – namen de mannen elkaar op. Bernardo liet zich niet hinderen door zijn gebrekkige kennis van het Engels en vertelde alles wat er over Calderón te weten viel. Hij hield de schijn op. Deed alsof er hier nooit iets veranderd was. Alsof Calderón nog steeds het befaamde kuuroord was van weleer. Het was toeval dat het zwavelbad vandaag gesloten was. Pech dat zijn restaurant gerenoveerd werd. Zo nu en dan wierp hij een blik op de schoudertas, die niet naast of onder Lars' stoel stond maar op een aparte stoel, tussen hen in.

'Cinetotale... Bent u behalve fotograaf soms ook filmer?'

Mariángela strekte haar hand uit naar de schaal met eitjes gevuld met tonijn, maar maakte het gebaar niet af. Ze liet de hand op de tafelrand rusten en keek Lars aan. Vragend is het woord niet om haar blik mee te vangen, nieuwsgierig evenmin. Te alledaagse woorden. Ze hield haar adem in. Alles, voelde Lars, hing af van zijn antwoord. Als hij ja zei, wat zou er dan gebeuren? Hij keek van Mariángela, wier mond een stukje openhing, naar Bernardo, wiens lippen glommen van de tomatensaus waarin de gehaktballetjes waren opgediend.

'Cinetotale,' prevelde Bernardo. 'Ik weet niets van film maar de naam komt me wel bekend voor. Jou niet, Mariángela?'

Vlug wendde Lars zijn hoofd af, bang dat zijn grimas hem zou verraden. Schuin aan de overkant veegde een vrouw met een bezem wat blaadjes van de marmeren treden die naar een wit kerkje leidden. Sjaf, sjaf... hij was een jaar of zes en hoorde zijn moeder het terras vegen. Gelukzalige leeftijd toen alles nog mogelijk was. Toen hij nog hardop durfde te zeggen dat hij piloot wilde worden of misschien wel goochelaar of toch maar liever leeuwentemmer, en niemand meewarig naar hem keek.

Of hij filmer was? Lars had de vraag nog steeds niet beantwoord. Voor zover hij het zich bewust was, had hij niet eens geknikt. Maar de burgemeester had zijn conclusie al getrokken.

'Maakt u alleen films in Denemarken of ook in andere landen?'

'Overal.'

Het was gebeurd. Nu kon hij niet meer terug. Als de burgemeester zo graag wilde dat hij cineast was, waarom zou hij hem dat plezier dan misgunnen? En er niet nog een schepje bovenop doen? Hier zat niet zomaar een kunstenaar, maar een in alle opzichten geslaagd man.

'Ik maak niet alleen films, ik produceer ze ook.'

'U hebt uw eigen *company*?'

'Yes, indeed,' antwoordde Lars bescheiden.

Voor hij het wist, had hij films gemaakt in Amerika, Australië, Nieuw-Zeeland... en dat alles dankzij een tas die hij ooit gekregen had, of om precies te zijn: geleend had maar nooit teruggegeven.

Tegen het eind van de maaltijd, tussen de *rabo de torre* en de koffie met appellikeur, informeerde Bernardo of *el director* soms in Calderón was om inspiratie op te doen. Hij sprak het woord met evenveel ontzag uit als even daarvoor de naam Cinetotale.

'Je weet maar nooit.' Lars glimlachte voor zich uit.

Door de heuvels rijden, ronddwalen in een plaatsje waar de gevels net decorstukken zijn van een voorstelling van lang geleden. Getrakteerd worden op de heerlijkste gerechten, koud bier en lekkere wijnen en dan op het eind van de dag beweren dat je gewerkt hebt. Want een van die beelden, geluiden, geuren zou wel eens de kiem kunnen zijn van een nieuw idee. Het was namelijk nooit te voorspellen wanneer zo'n nieuw idee zich aandiende. Het was er. Ineens. Een moment van genade.

Sommige kunstenaars die het café bezochten waar hij achter de bar stond, kletsten zo bevlogen. Slenterden urenlang door de stad om hun hoofd leeg te maken. Dat was de enige manier om zich straks in hun atelier te kunnen concentreren. Maar veel verschil tussen wat zij daar uitvoerden en hij hier op dit terras was er niet. Dit plan vergde toch ook het nodige lef, doorzettingsvermogen en talent? En geduld, dat vooral, om te ontdekken wat er van hem werd verwacht.

De krantenknipsels zaten weer in de envelop. De burgemeester leek op iets te broeden. Misschien ontstond er in Bernardo's hoofd een visioen waarin mannen met camera's en geluidshengels door de straten van Calderón renden. En als vanzelf veranderde het plaveisel van kleur, werd de straat een rode loper waarover Bernardo, in smoking, met zijn vrouw – nee, met aan iedere arm een filmster – een bioscoop in Málaga binnenliep.

Nadat Mariángela had afgeruimd, begon Lars zonder iets te zeggen een kaart op tafel uit te vouwen. Met een balpen volgde hij de weg die hij had afgelegd om hier te komen. Zette vervolgens een groot vraagteken bij Calderón en omcirkelde een paar stipjes in de buurt. Daarna vouwde hij de kaart weer op. Hij had meteen beet: Bernardo fronste zo krachtig dat de stekelige haren van zijn wenkbrauwen in elkaar verward dreigden te raken. 'Geloof me, er is daar niets. Geen zwavelbron, geen hotel. Niets. U hebt daar niets te zoeken.'

Dat die gehuchten op de kaart stonden, hadden ze aan hem te danken. Zijn toeristenbureau was zo vriendelijk geweest een paar wandelingen uit te zetten die daarheen leiden.

Hij boog zich naar Lars toe. 'Waarom speelt uw volgende film zich niet hier af, in Calderón? Wij hebben zoveel meer te bieden. U wilt toch niet dat uw acteurs in het hooi slapen, tussen de geiten? Wij zijn de enige plaats in de wijde omgeving met een infrastructuur om een filmploeg te ontvangen. *Infraestructura, you know what I mean?*'

Lars knikte bedachtzaam. Een mooiere omgeving om zijn fantasie de vrije loop te laten kon hij zich niet wensen.

'Vanaf het moment dat ik uit mijn auto stapte wist ik het.'

'Wist u wát?' vroeg Bernardo dwingend.

'Misschien heb ik vandaag geluk...'

Twee

Hij had van vijf tot zes geslapen, een diepe droomloze siësta, en zich vervolgens zonder weerzin naar de boulevard begeven. In een kantoorboekhandel kocht hij de grootste agenda die hij kon vinden, en ook een zwarte en een rode viltstift. Van nu af aan was hij een drukbezet man, dat moest in een oogopslag duidelijk zijn. Op een terras vlak bij de Paseo Marítimo bestelde hij een glas bier om zijn nadorst te lessen en zette zich aan zijn eerste taak. Hij kalkte de maagdelijke agenda vol afspraken. *Meetings*. Hun afspraak morgenochtend had Bernardo ook meeting genoemd.

Die tweede ontmoeting moest hij tot lunchtijd zien te

rekken. Ditmaal zou hij Mariángela om de rekening vragen. Niet om die te betalen maar om er zijn handtekening onder te zetten, met het verzoek of zij haar wilde bewaren. Het was wel zo efficiënt alle hotelovernachtingen, lunches, koppen koffie, sherry's, tapas, in één keer af te rekenen. Aan het eind van de laatste draaidag.

Production-meeting, casting-meeting, pr-meeting, ongelooflijk hoeveel soorten meetings hij uit zijn mouw wist te schudden. Om van de lunches met actrices, coproducenten, televisiebonzen maar te zwijgen. Hij vergat niet om in de kantlijn van zijn agenda imposante bedragen te noteren, met minimaal zes nullen. Berekeningen van denkbeeldige speelfilms, documentaires, televisieseries. Produceerde hij ook spelletjes, quizzen... nee, maar niet, beter geen programma's maken waar hij zelf nooit naar keek.

Lunch met Claudia, diner met André. Aanvankelijk kostte het hem moeite om bij elke datum weer een andere naam en etablissement in te vullen. Toen hij eenmaal begon te schrijven, bleek hij meer te weten dan hij dacht. Hij kon de terrassen in Kopenhagen, de bars en hotellobby's waar dat filmvolkje kwam, zo opnoemen. Hij haatte de luidruchtigheid van dat soort mensen, de zelfverzekerdheid waarmee ze ieder café betraden en in bezit namen met hun veel te grote tassen, bomberjacks, inklapbare statieven waar iedereen zijn nek over brak. Tegelijkertijd wilde hij erbij horen. Dat had hij altijd met groepjes. Of het nu filmers, surfers of snowboarders waren. Als een stel mensen zichtbaar plezier had, een eigen taal sprak met grappen die alleen zij begrepen, dan wilde hij een van hen zijn.

Al te vaak had hij het geobserveerd, zo'n gezelschap rond een tafeltje dat bijna bezweek onder de scripts, agenda's, telefoons, mappen van castingbureaus. Schaamteloos hard werd er over deze of gene acteur geroddeld. Ieder gesprek werd voortdurend onderbroken, want om de haverklap ging er een mobieltje af. Als het allemaal zo belangrijk was en er onbelemmerd gebrainstormd moest kunnen worden, waarom spraken ze dan niet gewoon op een kantoor af, of bij iemand thuis? Nee, natuurlijk niet. Deel van de opwinding was dat het belangrijke gesprek over het nieuwste filmproject door *losers* zoals hij werd opgevangen. En niet te vergeten door het meisje dat langsliep en zo ging zitten dat ze een van de mannen aan het tafeltje – en hij haar – rechtstreeks of via een spiegel in de gaten kon houden.

Afgewezen op de filmacademie (het is ons niet duidelijk waarom je het vak in wilt); zijn stage als assistent van de productieleider was nooit omgezet in een vast contract, en zelfs niet in een tijdelijk. Uiteindelijk bleek hij niet geschikt om onder aan de ladder te beginnen, omdat hij niet kon verbergen dat hij meer in zijn mars meende te hebben, te goed was voor het assistentenwerk. Nee, de kans dat hij ooit zo'n man werd aan een overvol tafeltje, die voortdurend opsprong en wegbeende om op de stoep te telefoneren met iemand die nóg belangrijker was, was uiterst gering. Maar met behulp van zijn vrienden kon hij wel doen alsof.

Hij bewoonde het huis aan de kade met negen studenten die, op Henning na, beduidend jonger waren. Henning was net dertig geworden, de andere huisgenoten waren tussen twintig en dertig. De vader van Henning had het huis twaalf jaar geleden gekocht toen zijn zoon in Kopenhagen ging studeren. Lars behoorde tot de eerste lichting bewoners. Wie afgestudeerd was, diende het huis binnen drie maanden te verlaten. Henning was al twee keer van studierichting veranderd; daarbij werkte hij meer dan dat hij studeerde om zijn reizen te kunnen financieren. Lars liep al jaren geen college meer, maar als oudste vriend van Henning had hij een bijzondere positie in het studentenhuis. Wanneer Henning maanden achtereen door een ver land zwierf, hield Lars een oogje in het zeil. Hij maakte het schoonmaakrooster en belde de loodgieter als iemand weer eens een dweil had doorgetrokken.

Een andere regel die Hennings vader het huis had opgelegd, was dat er uitsluitend jongens mochten wonen. De eerste bewoners hadden nog fel tegen die regel geprotesteerd. Ze vonden het achterlijk, discriminerend zelfs; Lars was er na verloop van tijd het voordeel van gaan inzien. Zodra een vriendin te kennen gaf dat ze met hem wilde samenwonen, verschool hij zich achter de kloosterregel. Waarom zou hij zich binden? Hij had ontdekt dat er een onweerstaanbare aantrekkingskracht uitging van zo'n mannenhuis. De meeste vrouwen vonden het wel interessant dat ze midden in de nacht, op de trap of in de gemeenschappelijke keuken, een andere student tegen het lijf konden lopen. Om een meisje te verleiden hoefde hij de deur niet meer uit.

Tientallen studenten waren gekomen en weer vertrokken. Behalve herinneringen aan hun verblijf en anekdotes die in de loop der jaren steeds sterker werden en

hilarischer, lieten ze steevast een erfstuk na: een zelfge-
timmerd bed, met kettingen aan het plafond bevestigd,
een teil waarin, onder een laag schimmel, een compleet
servies dreef, een tafel die het huis in getakeld was maar
er niet meer uit kon. Het huis werd steeds voller, de reü-
nies elk jaar drukker.

De laatste keer had hij het feest dat tot het ochtendglo-
ren duurde, een nachtmerrie gevonden. Het besef dat zijn
vroegere huisgenoten zich succesvoller voordeden dan
ze waren, hielp hem niet. Ja, natuurlijk, de een stond op
het punt ontslagen te worden, bij de ander dreigde er een
faillissement of een scheiding of waren er zorgen om een
kind. Maar hoe groot de zorgen ook waren die ze hem,
waarschijnlijk als enige, toevertrouwden omdat hij geen
concurrent was, hij benijdde hen. Zij hadden tenminste
iets dat hen uit de slaap hield. Hij had geen beroep waarover hij kon opscheppen. Hij vertelde al jaren hetzelfde
verhaal. Er kwam niets bij, hij was blijven hangen. Niet
alleen in het huis, ook in de baan als barkeeper waarvoor
hij ooit tijdelijk was aangenomen. Van iemand die avon-
den lang met een pilsje aan de bar hing, was hij – vanzelf,
leek het wel, alsof het een natuurkracht was waaraan hij
moest gehoorzamen – aan de andere kant van de bar terechtgekomen. Soms kon hij zich niet voorstellen dat hij
daar ooit nog vandaan kwam.

Hij had geen tijd en geen zin om het plan negen keer uit te
leggen. Iemand moest de voorbereidingen treffen, en het
huis voor het plan winnen. Nog diezelfde avond belde hij
Henning en mat breed uit wat een stommiteit het was geweest om een appartement aan de Costa del Sol te huren.

Armetieriger kon domweg niet. De smakeloosheid ten top. Goedkoop was het zeker, maar daarmee was dan ook alles gezegd. Henning zou het hier zeker nog geen dag, nog geen uur uithouden. Vlug bracht hij het gesprek op het dorp in de heuvels dat hij bij toeval had ontdekt. Dat had sfeer, stijl. Iets geheimzinnigs. In Calderón waren maar twee hotels, een groot en een klein. De bevolking was er ouderwets gastvrij. Het was er zo stil dat je opkeek als er in de verte een hond blafte. Schone lucht, goed eten en serveersters in mouwloze jurkjes.

'We worden daar met open armen ontvangen.'

'En wat moeten we in ruil voor die ouderwetse gastvrijheid doen? Van zonsopgang tot zonsondergang sinaasappels plukken? Zijn we daar niet een beetje te oud voor?'

'Wij gaan een film maken.'

'Figureren, in een film, van wie?'

'Niet figureren. Een film van mij, van ons.'

'Wat voor een film? Wat bazel je nou, man?'

'Je had de burgemeester van dat dorp naar mijn tas moeten zien kijken. Naar die Cinetotale-tas... Hij begon te kwijlen toen hij mij voor een regisseur aanzag. Geweldig!'

'Maar dat ben je niet... je hebt alleen maar zo'n tas.'

'Mensen doen alles voor je als je een camera bij je hebt.'

'Nou en,' zei Henning gelaten.

'Echt alles...'

Aan de andere kant van de lijn kraakte een bed. Slof, slof ... Henning zette de televisie uit. Een glas viel om en rolde nog even door over een houten vloer. Dit kon een lang telefoongesprek worden.

'En hoe dacht je die grap te financieren, met wiens geld?' vroeg Henning terwijl hij zich weer op bed uitstrekte.

'Met het geld dat we anders uitgeven aan eten en drinken in Torremolinos. Dat steken we in de bus en dan houden we nog geld over. Dat kunnen we op de terugweg in Hamburg verbrassen. De bus wordt de techniekwagen. Heb je pen en papier bij de hand?'

Hun oude Mercedes-Benz, een middelgrote vrachtwagen waarmee ze elkaar hielpen verhuizen, wel eens naar een popconcert gingen en zoals nu op vakantie, moest worden overgespoten. En voorzien van een logo. En er moest in grote letters Cinetotale op komen te staan. 'Dan heb ik nog een paar filmblikken nodig, koptelefoons, kabels, geluidsapparatuur, stukken piepschuim. Gaffertape, veel rollen gaffertape. En niet te vergeten: een camera. Met alles erop en eraan.'

'Weet je wat het kost om voor één dag een camera te huren? Laat staan voor twee weken. Waar haal ik het geld vandaan?'

'Ik zeg toch niet dat-ie het moet dóén.'

Aan de andere kant van de lijn schoot Henning onbedaarlijk in de lach. 'Je wil dat ik een kapotte camera meeneem?'

'Ja. En kapotte geluidsapparatuur. Niks hoeft het echt te doen.'

'Daar trappen ze nooit in.'

'O, jawel. Zolang wij het maar overtuigend spelen.'

'Een soort toneelstuk?' Het was even stil. 'We spélen dat we een film maken?'

Lars humde instemmend. Nu hij een ander het plan

hoorde uitleggen, voelde hij pas hoe goed het was. Hij zag het steeds duidelijker voor zich: hoe hij audities hield, productiebesprekingen voerde op het terras, druk gebarend met Henning door het dorp liep of hij hier dan wel daar ging filmen. Het hele circus. En na het filmen een hapje eten op het plein onder de ficus. Hij en zijn maten, aan een lange tafel met Mariángela en haar zusjes. Mooie meisjes hadden altijd zusjes. Tussen de maaltijden door en de siësta in de hangmat, nog even een scène draaien op een heuvel met uitzicht op zee.

'Ben je niet bang...' begon Henning.

'Wat heb ik te verliezen?'

'Je bent niet bang voor een jongetje dat uitroept: "Maar de keizer heeft geen kleren aan?" In elk dorp woont wel zo'n jongetje.'

Lars herinnerde zich een jongetje dat hij op weg naar Calderón had gefotografeerd, vanmorgen rond een uur of elf. De vreemde kreten waarmee het kind zijn kudde schapen bijeenhield, een soort gejodel, waren hem door merg en been gegaan. Dagen leken verstreken, zoveel was er sindsdien gebeurd. En dit was nog maar het begin...

'Dit is echt iets voor jou, Henning.'

'Dat zeg jij altijd als je iets van me moet. Hoezo nou weer... echt iets voor mij?'

'Geef toe: op reis blijf je toch altijd de toerist. Waar of niet?'

'Ja, helaas wel. Hoe hard ik ook mijn best doe om het niet te zijn.'

'En hoe komt dat?'

'We delen niets, de *locals* en ik. We hebben niets gemeen, geen gemeenschappelijk belang. Het zou kunnen... als je iets maakt met zijn allen...'

'Precies, jij begrijpt het. Met zijn allen. We gaan iets maken. Met die mensen samen. Een film.'

Henning kwam overeind. Terwijl hij door de kamer ijsbeerde, somde hij de bezwaren op die er aan het plan kleefden, alle problemen die Lars ook al voorzag en nog heel wat meer. Lars beet op zijn lip. Het liefst zou hij het gesprek nú afbreken. Ineens begreep hij waarom kunstenaars zo lang mogelijk over een nieuw idee zwegen. Dat had hij altijd quatsch gevonden, maar nu zag hij in dat het geen gewichtigdoenerij was, geen poging tot mystificatie maar zelfbescherming. Voor je het wist, werd je geniale idee in de kiem gesmoord. Door zo'n realist. Nu kwam het erop aan standvastig te blijven, trouw aan zijn allereerste visioen. Alleen daaraan denken, verder nergens aan. Wat had Henning ook weer gezegd? O ja, iets over *locals* waar hij nooit echt contact mee kreeg.

'Dit is de manier om de dorpsbewoners te leren kennen. Om in het hart van zo'n gemeenschap door te dringen.'

'En waar moet ik de apparatuur vandaan halen? Of mag de kapotte camera ook onzichtbaar zijn?' vroeg Henning zuinig, maar hij dacht tenminste mee.

'Cinetotale verhuurt alles op het gebied van filmapparatuur. Hebben altijd wel wat afgedankte spullen staan. Ze zijn blij dat ze ervan af zijn. Voor ik het vergeet, absoluut onontbeerlijk: een klap.'

'Wat is dat?'

'Zo'n klein schoolbordje waarop staat welke scène er gedraaid wordt en voor de hoeveelste keer. En een krijtje.'

'*Take* 7. Actie. Klep... zo'n kek geluidje. Dat doe ik wel... als ik meedoe. Als. Ik heb nog niet gezegd dat ik het doe.'

'Nee, jij wordt veel belangrijker dan *clapper*.'

'Nou wat dan, regisseur?'

'Daar ben ik nog niet uit. Ik hang nu op. Morgen heb ik een meeting met de burgemeester. Je hoort nog van me.'

Drie

Het kan zijn dat Lars die inval dat de camera evengoed kapot kon zijn aan mij te danken had. Misschien herinnerde hij zich onze ontmoeting in het dal. Hoe ik opleefde, bij iedere foto die hij met zijn kapotte camera nam een beetje meer.

Diezelfde avond dat Lars zijn vriend bewerkte, kwam Bernardo mij opzoeken. Hij begeeft zich zelden zo ver buiten het dorp. Door zijn omvang is de geringste glooiing in de weg hem al te veel. In het dorp verplaatst hij zich op een brommer, mijn huis is alleen per ezel of te voet bereikbaar. Ik zat op de veranda met een kom yoghurt toen hij kwam aangesjokt. 'How are you, Lydia?' riep hij me al uit de verte toe.

Zodra Bernardo mij ziet, wil hij bewijzen dat hij het nog kan, Engels spreken. Ik heb een poosje lesgegeven op school en privé, aan Bernardo. Die eerste jaren hier heb ik van alles gedaan om in mijn levensonderhoud te voorzien. Toen er nog wel eens gasten in Bernardo's hotel kwamen, hing er naast de receptie een poster met de dagen en tijden dat ik yogales gaf. Mensen die helemaal naar Calderón kwamen om te kuren, hadden misschien ook belangstelling voor andere vormen van lichamelijke ontspanning. Hoopte ik. Om de dorpelingen te bewijzen dat yoga niet iets obscuurs was, gaf ik een paar proeflessen. Hoewel ik toen nog midden in het dorp woonde, kwamen alleen de onderwijzer Carlos en zijn zusje Elisa opdagen. Met haar had ik ook een winkeltje waar producten uit de streek werden verkocht: jam van sinaasappel- en citroenschilletjes, olijfolie, geitenkaas... tot Ian in het dorp verscheen en al mijn aandacht opeiste. Algauw werkten we samen: ik schreef de onderschriften bij zijn fotoreportages. Toen mijn Spaans goed genoeg was, kon ik ook vertaalwerk aannemen. Geen boeken, maar catalogi en gebruiksaanwijzingen, aanvragen voor bouwvergunningen van Duitsers en Engelsen die aan de kust een stuk grond hebben gekocht. Voor de dorpsbewoners vertaal ik zo nu en dan een brief.

Ik ging er dan ook voetstoots van uit dat Bernardo een brief uit de borstzak van zijn bezwete overhemd zou vissen maar hij stak meteen van wal: 'Morgen heb ik een belangrijke meeting met een producer.'

'Een man met sluik blond haar, scheiding in het midden?'

'Die ja, hij gaat een film maken over Calderón.'

'Over Calderón nu of over Calderón vroeger?'

'Een speelfilm die zich in Calderón afspeelt. Als ik het goed begrepen heb. Hij is ook regisseur. Heeft een eigen *company*. Heel groot. Maken films over de hele wereld. Ik kan het me niet permitteren dat er iets misgaat. Dat die Deen zegt: "Volgende maand komen we" en dat ik versta volgend jaar maart.'

'Zeg maar hoe laat dan ben ik er.'

'Om twaalf uur. Op het terras van de *taberna*.'

Hij wierp een blik op mijn trainingsbroek die nog van Ian is geweest. 'Kun je er morgen een beetje... secretaresseachtig uitzien, Lydia?'

Ik veegde een sliertje yoghurt van mijn wang. 'Wees maar niet bang, ik kom niet zo.'

'Kun je dat platte computertje van je meenemen?'

Na al die jaren verbaasde het me nog steeds hoe snel het hele dorp op de hoogte was van mijn nieuwste aankopen. Ik had de laptop de week daarvoor gekocht in Málaga.

'Wil je dat ik notuleer wat jullie bespreken?'

'Doe maar wat je goeddunkt. Zolang het er maar professioneel uitziet. Die Deen moet niet denken dat hij met een stelletje sukkels te maken heeft. Hij mag geen moment de indruk krijgen dat hij zomaar kan binnenvallen en meteen mag gaan filmen. Daar zijn vergunningen voor nodig. Met stempels en handtekeningen.'

'Maar als er in Calderón gefilmd wordt, is dat toch alleen maar goed. Voor het hele dorp?'

'Of het goed is?' Bernardo stak zijn armen in de lucht en balde zijn vuisten. Hij keek me aan alsof hij er twee toverballen in verborg. 'Beroemde acteurs die een glas *tinto de verano* drinken op de rand van ons zwavelbad. Het publiek ziet dat en denkt: daar wil ik ook naartoe, naar Los Baños de Calderón.'

'Maar als je dat wilt, waarom dan moeilijk doen met vergunningen en zo?'

'Juist. Snap dat dan! Dat soort lui heeft geen respect voor je als je jezelf zomaar aanbiedt als de eerste de beste del uit Marbella. Een dag filmen in het zwavelbad kost ze... Nu ja, dat moet ik nog even uitrekenen. Als er gefilmd wordt, kunnen de andere gasten niet rustig baden.'

'Welke ándere gasten, waar heb je het over?'

'Dat weet hij niet. Luister: ik reken hem voor wat ik tijdens de draaidagen aan inkomsten misloop. Hij verbleekt. "Dan niet," zeg ik. "Even goede vrienden." Ik sta op, loop weg, jij klapt je laptopje dicht. Dan doet hij een tegenbod. Ik schud van nee, nou, en na een paar uur onderhandelen vinden we elkaar halverwege.'

'Een paar uur?'

Ik sputterde wel tegen maar ik kon Bernardo niets weigeren. Niemand kan dat, daarom wordt hij ook steeds opnieuw tot burgemeester gekozen. Ook door leden van de *Partido Popular* én door mensen die onder Franco elkaars aartsvijanden waren. De trouw aan Bernardo weegt zwaarder dan politieke vetes. Niemand is zo lang in ons dorp blijven geloven als onze burgemeester. Niemand heeft zulke creatieve listen bedacht om toeristen te lokken.

Er was een tijd dat hij zich, zodra hij een auto over de kronkelige weg hoorde aankomen, naar het parkeerterrein haastte. Nog voor de auto tot stilstand gekomen was, ging hij erop af. Met een somber gezicht wees hij naar de bumper aan voor- of achterkant. Zodra de bestuurder van de auto – meestal een huurauto waaraan hij nog niet helemaal gewend was – was uitgestapt, stak Bernardo zijn monoloog af. Hij bukte zich. Keek nog eens wat beter. Ging op zijn rug liggen. Schoof steunend onder de auto. Dan morrelde en mompelde hij wat. Er was geen woord van te verstaan maar het klonk onheilspellend. Soms trok hij iets los, een stuk van de bumper of iets anders waar een auto heel wel zonder kan. Vervolgens krabbelde hij weer overeind en gebaarde met handen, zwart van de olie, dat dit euvel beslist verholpen moest worden. *'Dangerous... Very, very dangerous.'* Hij maakte een slingerend gebaar dat eindigde in een diep ravijn. Maar in Calderón de la Frontera woonde een monteur die vast wel bereid was te komen. Meneer en mevrouw konden zolang misschien een kopje koffie drinken op het terras van zijn hotel, of anders op het terras van de *taberna*?

O, ze waren hem zo dankbaar, de gestrande toeristen. En omdat de monteur wel erg lang op zich liet wachten, dronken ze niet alleen koffie maar bleven ze ook eten. En soms overnachtten ze in Gran Hotel El Mundo en om de tijd te doden brachten ze een bezoekje aan het zwavelbad. Maar zelfs Bernardo's vindingrijkheid heeft ons dorp niet van de ondergang kunnen redden. Hij hoorde nog wel eens een auto die naar een lagere versnelling geschakeld werd om de laatste heuvel naar het dorp te bestijgen, maar als hij zich dan naar het parkeerterrein haastte, kwam hij voor niets. Het eens zo befaamde Calderón was een doorgangsweg geworden, een panoramische route voor toeristen die de grote weg wat al te voorspelbaar vonden.

'Jij hoeft er niet de hele tijd bij te blijven hoor,' zei Bernardo. 'Doe maar alsof je het heel druk hebt met werk voor de gemeente. Bouwvergunningen voor de nieuwe bank, voor het nieuwe zwembad, het internetcafé...'

Nog nooit eerder was het me zo duidelijk hoe het dorp eruitzag waarvan Bernardo burgemeester wilde zijn. Ik dacht aan de overwoekerde tennisbaan achter zijn hotel en aan de half voltooide appartementen – bedoeld voor jonggehuwden – aan de rand van het dorp. Tochtige betonnen schoenendozen, waar je recht doorheen kijkt; alleen de trap herinnert aan het leven dat hier geleid had kunnen worden. Bernardo wil niet dat de schoenendozen worden afgebroken. In zijn ogen betekent dat: alle hoop laten varen.

Vier

Toen Lars de volgende ochtend het plein opliep, met op zijn hoofd een strooien borsalino, ruim een kwartier te vroeg in de hoop Mariángela alleen aan te treffen, zat Bernardo al op het terras van de *taberna*. Het ijzeren tafeltje lag vol mappen en ordners. Bernardo was in gesprek met een man in een zondags pak; zijn haar leek aan zijn schedel vastgeplakt en bij zijn linkerslaap zat als een verdwaalde snottebel nog een klodder gel. Lars gebaarde dat hij even een ommetje ging maken, hij was tenslotte aan de vroege kant. Maar daar kreeg hij de kans niet toe. Hij werd voorgesteld aan Ricardo, 'my financial adviser', en hij moest erbij komen zitten. Bernardo riep om meer koffie, die niet gebracht werd door Mariángela maar door Bernardo's echtgenote, een vrouw met o-benen. Ze droeg een vormeloze jurk, iets tussen schort en overgooier in, van een donkerbruine stof met een bloemetje. De meeste vrouwen liepen hier in zo'n soort dracht en op vilten pantoffels. Nadat ze de koffie op tafel had gezet, bleef ze staan en nam hem zwijgend op.

Hij complimenteerde haar met de maaltijd van gisteren, ze reageerde amper. Hij zei hoe bijzonder hij het dorp vond, '*fantástico*' de hele omgeving trouwens, '*fenomenal*', ze keek hem argwanend aan. Hij zette zijn tas op zijn schoot, met het woord Cinetotale naar haar toe, ze gaf geen krimp. Was ze soms analfabeet? Hij haalde zijn agenda tevoorschijn, maar die leek ineens een stuk kleiner nu de tafel vol officiële stukken lag.

Om zijn zenuwen in bedwang te houden bladerde hij door de agenda. Zo nu en dan schreef hij iets op. Geen optelsommen van wat zijn filmprojecten kostten, maar wat er in hem omging. *Heb nooit de neiging gehad een dagboek bij te houden maar ik moet mijn geheim toch ergens kwijt. Hoeveel jaar krijg je in Spanje voor zwendel?* schreef hij in het Deens, en nog wat zinnen die hem onmiddellijk zouden verraden als de mannen tegenover hem ze konden lezen.

Hij verstond niet waar Bernardo en de boekhouder het over hadden, wel dat het om grote sommen geld ging. Ricardo greep telkens naar zijn rekenmachientje en dan noemde hij weer een bedrag waar Bernardo zwaar van moest zuchten. Blijkbaar viel er iets erg tegen. Lars wendde zijn blik af. Aan de overkant van het plein was de kosteres alweer de trappen van de kerk aan het vegen.

Toen ze zich omdraaide, stak Lars zijn hand op en knikte. Bij wijze van groet wees zij met haar bezemsteel naar een ooievaarsnest op de kerktoren. Zo'n groot nest had hij nog nooit gezien. Het leek alsof die heidense takkenbos de spot dreef met het kerkje en haar nijvere kosteres. Die maakte een gebaar van wegvliegen en weer terugkomen, ja ieder moment kon de ooievaar op het nest terugkeren.

Eindelijk nam Ricardo afscheid, het rekenmachientje stak hij bij zich. Hij was het plein nog niet overgestoken of ik kwam het terras oplopen. Bernardo stelde me voor als zijn secretaresse, Lydia. Pas toen ik Lars eraan herinnerde dat we elkaar gisteren al even gesproken hadden, in het amandeldal, herkende hij me.

'Natuurlijk, nu zie ik het. Jij bent het, sorry.'

'Geeft niets.'

'Je ziet er vandaag heel anders uit, daar komt het door.'

'Anders? Ja, gisteren hoefde ik niet te werken.'

Hij liet zijn blik over mijn blote benen gaan. De benen van een vrouw blijven het langst mooi, a joy forever. Ik droeg geen bergschoenen maar open sandaaltjes van rood lakleer met een halfhoge hak. In mijn witte bloesje en linnen rok had ik zo kunnen poseren op de trappen van de kerk voor een foto ter gelegenheid van een doop, een eerste communie of een huwelijk. Maar ik zag er zediger uit dan ik me voelde; het was alsof hij mijn enkels streelde. Vlug trok ik mijn benen onder mijn stoel en klapte mijn laptop open.

'Bernardo heeft mij gevraagd te tolken...'

'Een tolk, toe maar... Gisteren redden we ons anders heel aardig.'

'Alleen als het nodig is natuurlijk. Trek je niets van mij aan. Doe maar alsof ik er niet ben.' Ik glimlachte naar hem maar het lukte me niet hem op zijn gemak te stellen. Achteraf begrijp ik dat wel. Lars had meer belang bij half begrepen afspraken, bij zinnen die uitmondden in *'you know what I mean...'*

'En hebt u een besluit genomen?' vroeg Bernardo.

'Jazeker, wij zouden hier graag een week opnames maken.'

'Mooi, en waar in Calderón wilt u precies filmen? In het zwavelbad neem ik aan? Als de zwavelbron er niet was geweest, bestond Calderón namelijk niet.'

'De belangrijkste scène speelt zich uiteraard in het bad af.'

'Hoeveel uren... dagen bent u daar bezig?'

Lars aarzelde, maar herstelde zich bliksemsnel. 'Drie dagdelen,' antwoordde hij beslist. Bernardo keek mij vragend aan. Ik knikte: ik wist niet hoe lang de belangrijkste scène van de film duurde maar drie dagdelen leek me heel plausibel. Zelfs het simpelste loopje, trapje op trapje af, werd eindeloos overgedaan. Dat wist iedereen die wel eens bij een filmopname had staan kijken.

'Dat kost u honderd euro,' zei Bernardo.

'Honderd euro?'

'Per dagdeel.'

'Het is niet gebruikelijk voor een locatie zoveel geld te betalen.'

'Bekijk het van mijn kant. Het is nu toevallig opvallend stil. Gewoonlijk zijn er op dit uur al heel veel toeristen. Als u aan het filmen bent, kunnen mijn gasten niet baden.'

'Juist wel.'

'Pardon?'

'Het moet er zo normaal mogelijk uitzien. Laat ze rustig baden, uw gasten. Hoe meer gespetter en gespat hoe beter. Als u tijd hebt kunt u zelf ook naar het bad komen. En uw vrouw en andere familieleden, neven, nichtjes...'

Bernardo begon te stralen, dwars door zijn pantser van gewichtigheid heen. Wat er in hem omging, liet zich raden. Er stonden lampen op de burgemeester gericht. Een hele batterij fel, wit licht.

'En uiteraard zorg ik ervoor dat het badhuis groot in beeld komt. En de straatnaam, alles heel herkenbaar.'

'En onze Moorse ruïne, wilt u die ook filmen?' vroeg Bernardo met iets sluws in zijn blik.

'Jazeker.'

'Voor de ruïne hebt u een vergunning nodig. Dat is cultureel erfgoed. U denkt: zo'n hoop stenen met onkruid, daar kan niks kapot aan. Maar het kost ons jaarlijks een smak geld om de ruïne in stand te houden.'

'U kunt ervan op aan dat wij niets beschadigen. Bij het filmen van opgravingen en ruïnes dragen wij speciale vilten pantoffeltjes. En om de statieven doen wij een soort sokjes. Maar als u het risico niet wilt nemen, heb ik daar alle begrip voor. Het wemelt van de ruïnes, zag ik op weg hiernaartoe.'

Bernardo verbleekte. 'U bedoelt, dan filmt u... een ándere ruïne? Terwijl het verhaal zich bij ons in Los Baños de Calderón afspeelt? Dat kan zomaar niet. Dat is bedrog.'

Nadat ik beide standpunten had vertaald, legde ik Bernardo uit dat de film over de hele wereld te zien zou zijn.

In ieder geval in heel Europa. En dat het voor het eindresultaat niet zo bar veel uitmaakte of het de ruïne van Calderón was die gefilmd werd, of een ruïne... tja, om het even waar. Ik probeerde hem over te halen zich wat soepeler op te stellen. Het drong maar langzaam tot Bernardo door: hier, of om het even waar...

'Ik moet dit met de gemeenteraad overleggen. Dit kan ik niet in mijn eentje beslissen. Laten we eerst maar eens een hapje eten.' Hij droop af naar de *taberna* om het *menú del día* met Teresa te bespreken.

Ook Lars moest even tot zichzelf komen. Vergunningen, contracten waarin alles zwart op wit stond... Op zoveel rompslomp had hij niet gerekend. Misschien had Henning toch gelijk en waren er te veel valkuilen. Als hij niet vandaag ontmaskerd werd, dan morgen wel. Als het niet door Bernardo was, dan wel door diens achterdochtige echtgenote. Nee, niet zo denken. Niet doen. Niet toegeven aan die eeuwige weifelzucht. Wil je dat je leven zo blijft, zo half, halverwege blijven steken, eeuwig blijven teren op de verhalen van anderen? Op de hoogte- en dieptepunten in andermans leven? Als Bernardo weer over geld begint, pak je onmiddellijk je gsm en toets je een willekeurig nummer in: ik ga niet over het budget, daar heb ik mijn mensen voor. Daarvoor moet u bij mijn financiële man zijn. Even zien of ik hem voor u aan de lijn kan krijgen.

Hij was de laatste in huis geweest die een mobieltje had aangeschaft. Hij wilde domweg niet altijd bereikbaar zijn voor moeders, zusjes of ex-vriendinnen die iets wilden uitpraten. Maar die moderne speeltjes boden een voordeel: je kon altijd veinzen dat je je uiterste best deed om iemand te bereiken. Of zojuist had gebeld, gemaild. Langzaam keerde zijn zelfvertrouwen terug. Hij verheugde zich er al op Henning straks op de hoogte te brengen van alle obstakels en hoe hij ze een voor een uit de weg had geruimd, toen ik hem een vraag stelde: 'Waar gaat de film eigenlijk over?'

Hij staarde me aan.

'Het verhaal, wat is het verhaal?'

'Het gaat over... Het is een... Hoe zal ik het zeggen... Eigenlijk is het een liefdesgeschiedenis... over een man en een vrouw,' stamelde hij met neergeslagen ogen. En ik – onnozele – dacht dat het uit verlegenheid was, om mij, om ons. Tot op dat moment had ik me nog niet afgevraagd wat er met me aan de hand was. Waarom ik die ochtend voor ik naar het dorp ging zoveel aandacht aan mijn uiterlijk had besteed. Na het douchen had ik mijn hele lichaam ingesmeerd met een crème die naar kokosmelk rook. Om mijn haar dikker te doen lijken had ik het eindeloos geborsteld. Ik had nieuw ondergoed aangetrokken dat al maanden ongedragen in mijn kast lag, een met kant afgezette beugelbeha waarin ik een beter figuur had dan toen ik dertig was. Ik had meer, veel meer gedaan dan nodig was om mijn rol als secretaresse geloofwaardig te kunnen spelen. Dat begreep ik in de stilte die nu viel.

Wat bezielde me, hij had mijn zoon kunnen zijn. 'Boy meets girl... hoe verzin je het?' zei ik om de spanning te doorbreken. Hij reageerde nog steeds niet, dit was geen verlegenheid. Maar wat dan wel? Een regisseur was toch

47

gewend zijn ideeën in een paar zinnen samen te vatten? Deel van zijn werk was toch anderen te overtuigen, op sleeptouw te nemen, te inspireren? Hij pulkte aan een los strootje in zijn gevlochten hoed, als een vogel die bijtijds een nest af moest hebben.

Toen klaarde zijn gezicht op. 'Sorry... al die talen, het duizelt me. Ik denk in het Deens... Even omschakelen.'

'Doe rustig, ik heb alle tijd.'

Hij schoof naar de rand van zijn stoel. 'Een geoloog op expeditie komt bij toeval in een afgelegen vallei terecht. Daar ontmoet hij een vrouw. Hij wordt verliefd op haar en zij op hem.'

'Een liefdesgeschiedenis. Dat zei je al... Hij is geoloog en zij? Wat doet zij daar, woont ze in die vallei?'

'Ze is er geboren en getogen. Een eenvoudig boeren-meisje.'

'En hoe oud zijn de geliefden? Even oud?'

'Wat doet dat ertoe als je verliefd bent?'

Nu was ik degene die bloosde. Hij boog zich naar me toe en begon te vertellen over een dal waar de bewoners eeuwig jong bleven. Niemand was er ouder dan dertig. Eerst was ik nog wat sceptisch, maar toen hij de slotscène onthulde waarin de vrouw achter haar geliefde aan het dal uit liep, bij iedere stap ouder en brozer werd en ten slotte stierf, ging er een rilling door me heen. Ik was in-eens heel ver weg, thuis, in de slaapkamer, jaren terug.

'A penny for your thoughts...'

'Hm?'

'Waar denk je aan?' vroeg Lars.

Aan hoe ik daar zat, urenlang, naast het bed waarin Ian lag. Hoe ik wachtte op de ademtocht die misschien – of toch nog niet – de laatste was, en keek naar zijn neusvleugels, lippen, oogleden, naar de punt van zijn neus die steeds spitser werd en blauwer.

'Ze kunnen niet heel vlug omkeren?' vroeg ik.

'Nee.'

'Nee, natuurlijk niet... Wie het dal eenmaal verlaten heeft... Maar hij begraaft haar toch wel?'

'Ja, en dan trekt hij verder. De rest van de film speelt zich in andere landschappen af. In de woestijn, in de jungle.'

'En wat is de titel van de film?'

'Tja, de titel... Alles wat ik tot nu toe heb bedacht, heb ik na een paar uur weer verworpen. Als jij een idee hebt? Jij lijkt me nogal goed met woorden.'

Ik glimlachte gevleid. 'Wie speelt die vrouw, ken ik haar, is ze beroemd?'

'Ik werk het liefst met onbekende gezichten.'

Ik hoopte dat hij mijn onbekende gezicht bedoelde. En realiseerde me op hetzelfde moment dat dit een illusie was: ik was te oud. Maar in iedere vrouw, hoe ernstig ook of altijd met haar neus in woordenboeken, schuilt ergens het verlangen om model te zijn, of filmster. Om in een avondjurk bezet met pailletten een lange trap af te dalen. Al was het maar één keer.

'Heb jij geen dochter?'

'Ik heb geen kinderen. Maar een onbekend gezicht... dat zal Bernardo jammer vinden.' Ik keek over mijn schouder waar hij bleef. 'Die verwacht dat je iemand uit Hollywood laat overkomen. Heb je haar al gezien, het meisje dat je zoekt?'

'Nee. Kun jij mij helpen? Jij kent hier vast iedereen.'

'Misschien weet ik wel iemand,' zei ik aarzelend. 'Ze werkt hier een paar dagen per week.'

'O, ja? Hoe heet ze?'

Even later kwam Bernardo het terras opgelopen met een schaal gevulde olijven en drie soorten worst. Lars bestelde een fles wijn. Tijdens de lunch werd er keer op keer op de film getoost. *Salud!* Ik was in functie en dronk water. Als ik één glas wijn op heb, wil ik er nog een en het liefst ook de arm om me heen van de man die me inschenkt.

Bernardo lag niet langer dwars, integendeel, hij werd zo mak als een lam. Nu het tot hem doordrong dat hij blij mocht zijn dat Lars Calderón had uitverkozen als filmset van zijn nieuwe meesterwerk, liet hij zijn wapens vallen. Hij schepte niet langer op. Hij deed niet meer alsof hij burgemeester was van een welvarend plaatsje waar iedereen van het toerisme profiteerde. De lofzang op zijn dorp werd een klaagzang die ik al zo vaak had aangehoord dat ik hem simultaan kon vertalen.

'Eens, meneer, kwamen de groten der aarde hier kuren. Ik kan u de gastenboeken laten zien, een plank vol. Het oudste stamt uit 1890, maar ook voor die tijd kwam men hier al van heinde en verre naartoe. Men beweert dat Pedro Calderón de la Barca hier al genas van psoriasis. Onze grote toneelschrijver, u kent hem toch wel, van *Het leven een droom*?

Mijn betovergrootvader had hier een pension. In die tijd stroomde het water nog rechtstreeks van de bron in een cementen bak. Ieder kind dat hier geboren werd, vond hier werk. Op een paar boeren na leefde iedereen van het zwavelbad.

Waarom Calderón is leeggebloed? Ach, er zijn zoveel theorieën. Zoveel theorieën als er zaken over de kop zijn gegaan. Eerst dijde Torremolinos uit – een vissersdorp, meer was het niet – een paar jaar later werd de grote weg aangelegd. Ik dacht: geweldig, een weg die rechtstreeks van Málaga via Calderón naar Córdoba gaat. Wat een vooruitgang. Maar de weg werd om Calderón heen geleid. De ambtenaren in Madrid beweerden dat het juist goed was voor ons dorp dat de weg niet dwars door maar om het dorp heen liep. Op die manier zou het karakteristieke gezicht van Calderón bewaard blijven.

Ze kunnen het zo mooi verkopen. Maar als je over de grote weg raast en dat bordje "Calderón 14 kilometer" ziet, sla je niet even af. U misschien wel, maar de doorsnee toerist doet dat niet. Misschien komt het door de weg, misschien door Torremolinos, dat werd al een moloch voor er sprake was van die weg. Van de ene op de andere dag wilde iedereen alleen nog maar naar het strand. Ik vraag u: wat is er zo bijzonder aan zand? Er groeit daar niks, geen roosje, geen mimosa, geen hibiscus. Het is ook nooit bewezen dat zout water speciaal gezond is. Niet zoals zwavel, daar zijn boeken over volgeschreven. Het helpt tegen eczeem, acne. Tegen aambeien, kinkhoest, kroep... tegen alles. In de middeleeuwen gold het als wondermiddel... Maar zwavel is uit.' Dit was zijn laatste zin, maar omdat ik eerder klaar was dan hij, voegde ik er een zin aan toe, iets wat ik Ian vaak had horen zeggen: 'Ik wou dat dit nooit een bekend kuuroord was geweest. Je kunt beter nooit ontdekt zijn dan de naam verliezen waaraan je gewend bent geraakt.'

Lars mocht draaien waar hij wilde. Over geld of vergunningen werd niet meer gesproken. Zolang het maar duidelijk was dat de film zich in Calderón afspeelde. Bernardo zou er persoonlijk op toezien dat het welkomstbord prominent in beeld kwam. En niet zomaar een paar tellen maar een volle minuut. Ze schudden elkaar de hand en brachten nog een toost uit op de film. Het verzoek of ik de contactpersoon tussen crew en dorp wilde zijn kwam van Lars. Of ik een contract op dagbasis wilde, of liever een bedrag voor de hele periode? Ik haalde afwerend mijn schouders op. Ik vond het ongemakkelijk met hem over geld te praten, alsof ik tussen de regels door over iets anders onderhandelde.

'Mijn financiële man neemt wel contact met je op,' zei Lars.

Ik knikte opgelucht. Hij haalde zijn mobieltje tevoorschijn. 'Even kijken of ik hem te pakken kan krijgen.'

'Nee dat hoeft niet... niet nu... eet rustig verder.'

Bernardo was allang blij dat ik als tussenpersoon optrad. Hij liet de besprekingen verder aan mij over en nam nog voor het toetje op tafel kwam gehaast afscheid. Misschien stelde hij zich voor hoe het heldere oog van de camera minuten lang en zonder te knipperen op het bord 'Bienvenido a Los Baños de Calderón' rustte. En ineens besefte hij dat hij de tegels van het tableau al jaren geleden had zullen vervangen. Nu stond er Caledón, of alderó, afhankelijk van de stand van de zon.

Vijf

Nog diezelfde dag nam Lars zijn intrek in Hotel Duivenpoep. Hij kon niet wachten, wilde alles zien: de dalen in
de omgeving, de Moorse ruïne, de huizen waar ik gewoond had en waar ik nu woonde. Ik nam hem mee naar
straten en stegen die hij bij zijn eerste wandeling over het
hoofd had gezien. De Calle de la Iglesia komt uit op de
Calle de la Virgen del Carmen waar de kruidenier zit die
van alles verkoopt. Niet alleen brood, vlees en groenten,
ook shampoo en schoensmeer. Daarnaast is een *ferretería* waar je gereedschap kunt krijgen: speciale stokken
om amandelen mee uit de bomen te slaan, netten om de
oogst in op te vangen, verf en emmers kalk waar de vrou-

wen van Calderón de week voor Pasen de huizen mee witten. Althans vroeger, de laatste jaren namen ze het niet meer zo nauw.

Ik liet hem het onwaarschijnlijk kleine huisje zien van Loreta, de lotenverkoopster, dat uitgespaard is in een muur aan het begin van een trap die twee straten verbindt. Het platte dak is begroeid met onkruid. In een holle boom zou ze niet meer ruimte gehad hebben, en nauwelijks meer comfort. Ze wast zich in een lampetkan met water dat ze van de overburen krijgt. Een bed, een tafel met een gasstel, meer meubels heeft ze niet. O ja, een stoel, maar die staat meestal buiten, naast de deur.

Hij wilde terug naar het amandeldal om te zien of hij daar zou gaan filmen. Omdat we toch in de buurt waren, liepen we door naar mijn huis. Na een flauwe bocht loopt het dal over in een veel kleiner dal, een achterafdalletje. 'El Valle Olvidado' noemen de boeren uit de streek het: het vergeten dal. Zo'n honderd meter na de bocht ligt, tegen de heuvel aan, een smalle witgepleisterde *finca* met lichtbruine dakpannen.

'Je hebt hier tien jaar met een man gewoond, een Engelsman heb ik begrepen?'

'Twaalf jaar. Je bent goed op de hoogte.'

'Dus daar woont ze... Lydia, the great woman from Holland.'

Ik schoot in de lach, hij klonk precies als Bernardo. We bleven even staan. '*El Valle Olvidado*, ook een mooie titel voor een film,' riep Lars. Ik ging er niet op in, ik dacht dat hij een grap maakte. We liepen over het pad naar de ingang van mijn terrein. 'Huur je het of is het van jou?' vroeg hij toen ik het hek openduwde. Ik bukte me en rolde er een steen voor. 'Het is van mij.' Omdat ik iets van afgunst in zijn stem meende te horen, voegde ik er snel aan toe dat zo'n huis hier twintig jaar geleden voor een habbekrats te koop was. Zeker in de staat waarin het zich toen bevond.

'Was hij een *pensionado*, je man, wijlen je man?'

Ik glimlachte. 'Nee, zo oud was hij nu ook weer niet. Toen we dit huis kochten was hij even oud als ik nu ben.'

'Een fotograaf, is me verteld.'

'Toen we elkaar leerden kennen was hij dat, ja... En daarna nog een paar jaar. Tot we hier gingen wonen... nu, ja wonen. Eerst moest er van alles met het huis, dat deden we zelf... hij dan, hij het meeste.'

'Miste hij zijn werk niet?'

Ik knikte naar het huis en de olijfboomgaard. 'Je hebt geen idee hoeveel tijd en energie hierin is gaan zitten. En nog.'

'Zijn vak bedoel ik. Miste hij het niet? Iets maken waar mensen naar kijken?'

'Nee,' zei ik koel, in de hoop dat hij geen vragen over Ian meer zou stellen.

'Zo'n huis op deze plek in dit klimaat... Ik begrijp dat je hier nooit meer weg wilt. En dat, wat is dat?'

'Een bron.'

'Ik dacht dat je water in het dorp haalde?'

'Alleen mijn drinkwater. Het water voor de tuin komt uit deze bron.'

We staken het terras over dat langs de hele breedte van het huis loopt. Lars wees naar de voordeur. 'Vraag je me niet binnen?'

'Ja, zo. Eerst een rondje over het erf.'

Hij keek zijn ogen uit, ik zag alleen wat er gedaan moest worden. Alles groeide zo hard in dit jaargetijde: de cactus bij het schuurtje werd veel te groot en die overhangende tak van de jacaranda moest nodig gesnoeid. We daalden het trapje af naar de moestuin. De groenten die ik niet heb, heeft een ander wel, er wordt voortdurend geruild. Courgettes tegen aubergines, de ene soort bonen tegen de andere, noten tegen vijgen. Misschien is ruilen van groenten en fruit wel het belangrijkste contact dat ik met de bewoners van Calderón heb. De enige met wie ik werkelijk bevriend ben geraakt, is Elisa. Ik noemde haar naam maar vertelde niet waarom zij zo belangrijk voor me is. Toen Ian steeds zieker werd, kwam zij iedere dag even langs. Samen hebben we hem gewassen en om en om bij hem gewaakt. Het eerste jaar na zijn dood stond zij vaak ineens op het erf met zelfgemaakte *dulces* of de krant.

Ik ging Lars voor, het huis door; via de keuken waar ik eet en werk naar de kleine woonkamer. Bij het kralengordijn aarzelde ik: daarachter bevond zich de slaapkamer en in het verlengde daarvan, achter een dichte deur, Ians werkkamer. De ene helft was archief, de andere helft donkere kamer. Alles zag er nog precies zo uit als toen hij stierf. Maar ook vóór hij ziek werd, kwam hij er al haast nooit meer. Ik draaide me om en zei met een achteloos gebaar. 'Niets bijzonders... Daar slaap ik en zo.'

Op de veranda dronken we een glas water. Lars wees naar de heuvels in de verte, en ik vertelde welke namen ik ze had gegeven. Holle Rug. Wijde Rok. Hoge Hoed. Hij was onder de indruk van het uitzicht, maar zijn gretigheid benauwde me.

Als het ergens zo adembenemend mooi is als hier, lijkt het alsof het altijd zo is geweest. Lars vroeg niet wie de cipressen om het huis had geplant en ik begon er niet over. Ik vertelde hem over het dorp in Noord-Holland waar ik mijn jeugd had doorgebracht. En over heimwee soms, naar schaatsen langs een rietkraag over bevroren plassen. Over heimwee naar de taal, naar een kind voor op een fiets dat zingt van zagen, zagen wiede wiede wagen...

'Wat bracht je naar Spanje, destijds?'

'Wat denk je?'

'Een zwarte hond zat je op de hielen?'

We wisselden een blik. 'Goed geraden...'

'Je zou niet meer terug willen? Ook niet als je heel oud bent?'

'Nee.'

Ik zei er niet bij dat ik hier nooit meer weg kán omdat Ian begraven ligt op de begraafplaats boven in het dorp. Het was voor het eerst dat ik een man die ik amper kende, had meegenomen naar ons dal. Misschien dat ik me daarom zo schaamde toen Lars zei dat hij hier wilde filmen. Hij zag het al helemaal voor zich, hij stond op en wees: 'Daar, daar bedoel ik... De slotscène, als de geoloog zijn vrouw de pas over draagt.' Ondenkbaar. Het idee dat hier op een dag hordes toeristen zouden opduiken die wilden zien waar de beroemde sterfscène was opgenomen... '*Horrible*,' hoorde ik Ian in gedachten zeggen.

Ik voelde me vereerd als Lars mijn suggestie voor een locatie overnam, zolang hij mijn dal maar met rust liet. Hij had niet verder aangedrongen. Als hij eenmaal had besloten waar hij wilde draaien, keerden we later nog eens terug om te bepalen wanneer het licht er het mooist was. 's Ochtends voor elven of in de namiddag, de rest van de dag was het licht te schel, leerde hij me. Hij had geen lichtmeter bij zich, nam geen foto's die later als geheugensteun konden dienen. Hij maakte wat notities, en af en toe een tekeningetje op de lege bladzijden achter in zijn agenda: een stenen brug, een veranda met vogelkooitjes. Een waslijn met kleren, kriskras gespannen over een nauwe steeg, elektriciteitsdraden die open en bloot langs de buitenmuren van de huizen liepen.

Op een middag had hij geconcentreerd – en voor zijn doen vrij lang – een eucalyptus zitten tekenen die verbrand was door een blikseminslag. Een zwartgeblakerde paal met twee stompjes, meer was er niet van over.

'Doder kan een boom niet zijn, dat heb je goed gezien,' zei ik.

Tevreden streek hij met zijn hand over de bladzij. 'Een potlood en een stuk papier, meer heeft een mens niet nodig. Als ik opnieuw kon beginnen werd ik tekenaar... Wat lach je nou?'

'Het klinkt zo...' Ik haalde mijn schouders op. 'Wat let je, je bent toch niet het hele jaar door aan het filmen?'

'Wat me let...? Een mens moet kiezen. Zich aan één ding wijden anders wordt het niks.'

Hij was korzelig, op het agressieve af. Ik begreep zijn plotselinge uitval niet en nam maar aan dat het iets met de film te maken had. Hij stond onder grote druk. Soms werd de verantwoordelijkheid hem te veel en vluchtte hij in fantasieën over een simpeler bestaan.

Er was zoveel dat ik niet begreep. Ik voelde me soms

net Alice in Wonderland. Zo kon ik maar niet bevatten dat de film zich afspeelde in een dal waar de bewoners eeuwig jong bleven, en dat Lars uitgerekend in Calderón wilde filmen waar de gemiddelde leeftijd een jaar of zestig was. 'Dat zie je niet,' zei hij, 'alleen als je heel close op een gezicht in*zoomt*.' Ik moest me niet zoveel zorgen maken. Ik dacht te letterlijk, te logisch. Bij ieder probleem dat ik opwierp, antwoordde hij: 'Later, dat los ik later wel op.' Als het niet tijdens het filmen was, dan in de montage. Door nasynchronisatie, met muziek, in de postproductie, in de digitale afwerking. Vooral dit laatste begrip gebruikte hij te pas en te onpas. Een toverwoord. Al die beelden waarvan ik me altijd had afgevraagd: hoe dóén ze het – kinderen die op bezemstelen door de lucht vliegen, een vrouw die staat te trillen in de handpalm van een gorilla, een mannetje zo klein als Pinkeltje die over de blote borsten van zijn vrouw zwerft, van dij naar dij klimt om zich in haar vagina te verstoppen – allemaal digitale afwerking. Daardoor was het mogelijk een jonge vrouw in een oogwenk in een oud mensje te veranderen.

Het verbaasde me ook dat de filmploeg die binnen enkele dagen zou arriveren, met Lars inbegrepen, uit slechts tien mensen bestond. Bij het kortste voorfilmpje zat je toch al gauw minuten lang naar de aftiteling te kijken. Lijsten met namen van medewerkers en assistenten en assistenten van assistenten rolden over het scherm. Maar Lars hield de crew met opzet zo klein mogelijk. 'Om het dorp niet onnodig te belasten.' Ik geloofde hem niet alleen, hij steeg nog meer in mijn achting, door het respect dat hij had voor de bewoners van Calderón.

Dat respect was niet wederzijds. Geen van de dorpsbewoners wilde aan de film meewerken. In de buurtwinkel hing ik een brief op, een uitnodiging om mee te doen als figurant. Er kwam niet één reactie. Intussen gonsde het van de bezwaren. Ik nodigde de bewoners uit voor een voorlichtingsavond in de *Casa del Pueblo*. Behalve Loreta kwam er niemand opdagen. Daar stonden we dan in dat zaaltje waar we voor de zekerheid vijfenzeventig stoelen hadden uitgeklapt, evenveel stoelen als er volwassenen in het dorp wonen. Bernardo was binnengekomen en meteen weer vertrokken.

'Dat er zo weinig mensen zouden komen, had ik niet kunnen bedenken,' zei ik beschaamd.

'Zo gaat het altijd.'

'Altijd, overal?'

'Koudwatervrees, trek het je niet aan.'

Lars wees naar Loreta en gebaarde dat hij bij haar wilde zitten. Of ik zo goed wilde zijn het gesprek te vertalen.

'Dus u wilt hier een film maken?' vroeg Loreta. 'Nou ik spuug op uw film.'

Haar woorden bleven dreigend hangen in de lege ruimte.

'Wat zegt ze?' vroeg Lars.

Ik aarzelde of ik haar woorden wat diplomatieker kon weergeven.

'Ze ziet er niets in.'

'O...'

'Ze spuugt op je film.'

'Hééft ze wel eens een film gezien?'

'Misschien, als kind. Ze is al vanaf haar zesde blind.'

Iedereen in Calderón kent haar verhaal. Er wordt verteld dat Loreta op een dag toen ze buiten speelde, haar grootvader hoorde roepen. Ze rende naar binnen maar zag hem niet. Haar grootvader niet, zijn stoel niet, de tafel niet. Ze knipperde met haar ogen zoals altijd wanneer ze vanuit het felle zonlicht het schemerdonkere huis inliep. Ze wreef over haar oogleden, knipperde nog eens, maar haar ogen wilden niet aan de schemering wennen. Het bleef donker en zo donker als het was op die zomerdag toen Loreta naar binnen rende omdat haar grootvader haar riep, zou het voortaan altijd blijven.

'Is er hier eigenlijk een bioscoop of een zaaltje waar wel eens een film vertoond wordt?' vroeg Lars.

Ik schudde mijn hoofd. 'Lang geleden kwam er tijdens de *ferias* in augustus soms een man in een busje met een projector. De film werd op de zijkant van de kerk geprojecteerd, iedereen nam een stoel mee van huis. Maar dat was ver voor mijn tijd.'

'Waar hebben jullie het over? Spreek Spaans!'

'Hebt u wel eens een film gezien,' vroeg Lars, langzaam in zijn allerbeste Spaans.

Hij praatte hard en al te nadrukkelijk, alsof Loreta behalve blind ook doof was.

'Ik heb er genoeg over gehoord. Genoeg om te weten dat het een instrument van de duivel is. De wreedste, smerigste, schunnigste beelden, het wordt ons allemaal maar voorgeschoteld alsof een nachtje slaap het zo weer uitwist. In het jaar dat ik blind werd, kwam die film uit waarin met een scheermes een oog wordt doorgesneden.'

Lars huiverde met haar mee. Zulke beelden kwamen in zijn films niet voor. Dat was zijn stijl niet. Absoluut niet.

Hij bezwoer haar dat hij meer een man van de suggestie was. Van het wegkijken, van het overslaan, van het níét tonen. Het lukte hem niet haar argwaan weg te nemen. Die film met dat scheermes was in de jaren dertig gemaakt, en sindsdien was het alleen maar erger geworden.

We lieten haar in haar sop gaarkoken en concentreerden ons op Federico. Hij is niet alleen de zwager van Bernardo, maar ook de eigenaar van Hotel Mimosa en de beheerder van het zwavelbad. Verantwoordelijk voor de hygiëne in de baden, en voor het onderhoud van het gebouw.

Lars vond de lichte ruimte met uitzicht op het bad – een lounge met rieten ligstoelen – schitterend, de afgebrokkelde Dorische zuilen rondom het halfronde bassin, schilderachtig, filmisch. Perfect. Niets meer aan doen.

Bernardo eiste dat de boel grondig werd opgeknapt. 'Aan de zuilen kunnen we op korte termijn helaas niets doen. Die moeten dan maar buiten beeld blijven. Maar als de badscène als laatste wordt gedraaid, heeft Federico nog tijd genoeg om de muren te stuken.'

'Van mij hoeft het écht niet,' zei Lars weer.

'Van mij wel.'

'Liever niet zelfs.'

'Dan mag u daar niet filmen.'

Daarmee leek de discussie gesloten. Maar hoe Bernardo ook soebatte, Federico stak geen poot uit. Toen Bernardo een schilder en een tegelzetter naar het bad stuurde, liet Federico ze doodleuk wachten voor het dichte hek. Jarenlang was er geen cent voor groot onderhoud beschikbaar en nu ineens wel. Hoe kon dat? Waar kwam dat kapitaal vandaan, van die kunstenmaker? Had hij Bernardo omgekocht?

'*Estás loco o qué?* In Noord-Europa zijn de mensen heel anders,' riep Bernardo.

'Ja, daar zijn ze zeker niet corrupt?'

'Er gebeurt hier niets wat het daglicht niet kan verdragen. De gemeente schiet de renovatiekosten voor. Op mijn voorspraak.'

Bernardo was er zeker van dat deze investering zich 'ruimschoots' terugverdiende. Als het niet dit seizoen was, dan het volgende, nadat de film overal in Europa volle zalen had getrokken. Hij praatte met een air alsof hij al jaren in de filmwereld meedraaide.

Voor het probleem met Federico was opgelost, kwam Carlos protesteren, op een doordeweekse dag nog wel en het was niet eens middagpauze. Wat nu weer. Ik kon me niet voorstellen wat híj tegen de filmplannen zou kunnen hebben. Onze onderwijzer is een belezen man. Hij is een van de weinigen die af en toe de auto nemen om in Granada naar het theater te gaan. Soms gaan we met zijn drieën: Carlos, zijn zusje Elisa en ik.

Hij wist de spanning aardig op te voeren. Hij had alle tijd, Elisa gaf zijn klas muziekles. 'Horen jullie ze, mijn *golondrinas,* mijn zwaluwtjes?' Hij stak een vinger in de lucht en floot het refrein mee.

'Hoeveel leerlingen heb jij onder je hoede?' vroeg Lars.

Carlos had al meteen gezegd dat ik niet hoefde te tolken, hij kon het wel alleen af. Nu deed hij alsof hij de vraag niet had gehoord. Als er zich binnen vijf jaar geen nieuwe kinderen aanmelden, kan de school haar deuren sluiten maar daaraan denkt Carlos het liefst zo min mogelijk. Hij trok een stoel bij en keek Lars vorsend aan.

'Voor jou is dit een gewoon dorpje, het zoveelste pittoreske witte Andalusische dorp, maar er speelt zich hier een groot drama af.'

Even dacht ik dat hij Lars ging vertellen dat Calderón de Semana Santa niet meer viert, niet meer kan vieren. Maar hij haalde zwijgend een pocket uit de zak van zijn colbert. Het omslag kwam me bekend voor. Sinds kort had Carlos een theorie waarmee hij de wereld verklaarde: waarom hij vorig jaar kanker gekregen heeft, wat er van het dorp geworden is, en hoe dat komt. Zijn ziekte, de teloorgang van het dorp, alles hangt met elkaar samen. Het is meer een geloof dan een theorie. Als hij er in het bijzijn van Elisa en mij over begint, snoeren we hem de mond door er grapjes over te maken. Met Lars erbij durfde ik dat niet. Carlos ziet er niet alleen breekbaar uit sinds zijn maag is weggehaald, hij is het ook. Mager en doorschijnend bleek, als een kristal.

'Het komt niet goed uit, Carlos, we hebben het druk...'

'Hoe kan hij een film maken als hij niet weet wat hier werkelijk speelt?'

'Aan het eind van de week arriveert de crew in Torre. Het is kort dag.'

Maar Lars was benieuwd wat Carlos te vertellen had. Hoe meer hij over het dorp te weten kwam, hoe beter. Hij legde zijn hand om mijn pols en streelde met zijn duim over mijn huid. Carlos zag het niet, hij roffelde met zijn vingertoppen op het boek alsof hij een aanloopje nam.

'Dit boek heeft mij de ogen geopend. De kern van de theorie is... Nee, laat ik het simpel houden: de mens bestaat voor zeventig procent uit water. Bij een foetus is het zelfs negenennegentig procent. Je kunt dus stellen: wij zíjn water.'

Triomfantelijk keek hij naar Lars.

'En vlees en bloed... en huid misschien?' vroeg Lars zonder een spier te vertrekken.

'Ook. Maar vooral water. Besef je wat dat betekent? Hier staat het allemaal in. Het zijn geen ouwewijvenpraatjes, het is bewezen. Je neemt een watermonster, bijvoorbeeld hier, uit de kraan van de *taberna* en zet het in de vriezer. Een paar uur later haal je het eruit. Na ongeveer twintig seconden wanneer de temperatuur stijgt en het water begint te smelten, verschijnen er kristallen op de rand van het glas. Ik voorspel je: het water van de *taberna* zal een eentonig, volkomen oninteressant kristal vormen. En weet je waarom? Omdat Teresa altijd loopt te klagen.'

Lars grinnikte instemmend.

'Maar zet je zo'n flesje water voor je het invriest een poosje naast een speakerbox waaruit muziek van Segovia klinkt, dan krijg je een schitterend, helder, rijkgeschakeerd kristal.'

Hij draaide het boek om en schoof het naar het midden van de tafel. Op de achterkant prijkte een foto van een glimlachende Japanner. 'Deze professor heeft honderden proeven genomen. Dáár zou je eens een film over moeten maken. Hij heeft ontdekt hoe sensibel water is. Hoe beïnvloedbaar. Met muziek. Met woorden. Als je "dank je" tegen het water zegt voor je een slok neemt wordt het al schoner.' Hij wachtte even. 'Begrijp je wat dat zeggen wil? Wij kunnen het water beïnvloeden. Niet door het te filteren, of door allerlei chemische processen maar direct. Met klank. Met onze gedachten. Met ons humeur. Als we echt zouden willen konden we het hele zwavelbad zuiveren.'

'Het zwavelbad is toch niet vervuild?' vroeg Lars.

'Niet meetbaar. Maar waarom komt niemand hier meer baden? Leg mij dat eens uit...' Hij keek ons uitdagend aan. 'Het is onze eigen schuld. Wij zijn de zwavelbron in de loop van de vorige eeuw alleen nog maar als... als bron van inkomsten gaan zien. Terwijl het zomaar uit de grond komt, vanzelf. Voor niets. Het is een geschenk van de natuur maar dat is iedereen vergeten. Daardoor is het water nu zo lusteloos. Op sterven na dood. Op een paar oude dametjes uit Málaga na komt niemand hier meer baden. Ik ben de enige in het dorp die wel eens om de sleutel vraagt. Gewoon, om het water wat moed in te spreken.'

'O, nou... Als je alleen wilt zijn tijdens je gesprek met het water dan houden wij daar rekening mee,' zei ik.

'Dat hoeft niet. Ik kan best een keertje overslaan.'

'Waar gaat het dan wel om?' vroeg Lars.

'Dat jullie je tijdens het filmen gedragen.'

Ik keek hoe Lars reageerde. Carlos deed alsof hij een amateur tegenover zich had. Niet een regisseur van naam die al minstens tien films had gemaakt waarvan ik er niet één had gezien, maar de titels kwamen me wel bekend voor.

'Ik wil niet dat er in het zwavelbad wordt geschreeuwd en gescholden.'

'Dat beloof ik. Kom gerust langs als we aan het filmen zijn. En laat me nou eindelijk dat boek eens zien.'

Samen tuurden ze zeker een kwartier naar foto's van

waterkristallen. Foto's die het verschil aantoonden tussen water in het meer van Zürich en water in Venetië... Het Canal Grande, hoorde ik Lars zeggen met heimwee in zijn stem, en ik herinnerde me een week in september, jaren terug, vlak voor Ian ziek werd. Het zou onze laatste reis worden, al wisten we dat toen nog niet. Ik had erop aangedrongen. Sinds we in het dal woonden, gingen we nog maar zelden samen op reis. We waren op de bonnefooi naar Venetië gegaan maar het bleek onmogelijk een hotelkamer te krijgen, tientallen hotels hadden we gebeld... Ineens begreep ik hoe we Federico moesten aanpakken. De hele crew kon met gemak in Hotel Duivenpoep worden ondergebracht, maar uit strategische overwegingen moest Bernardo de buit met zijn zwager delen.

Federico gooide de luiken van zijn hotel wijd open en borstelde de schimmel van de muren. Matrassen werden op de vensterbank in de zon gelegd en met mattenkloppers bewerkt om de muffe geur te verdrijven. Zijn vrouw waste, bleekte en verstelde het linnengoed, hun dochter Mariángela legde zakjes met lavendel op de kussens van de gasten. De muren van de eetzaal werden gewit, de kapotte zittingen van de stoelen gemat, het kapotte gaas van de hordeuren vervangen, de oranje tegelvloeren met *rojo* gedweild. Federico liet zelfs een letterspecialist uit Málaga komen om de naam van het hotel opnieuw op de gevel te schilderen. Ze werkten van 's ochtends vroeg tot 's avonds laat. En toen ze klaar waren om de gasten te ontvangen, ging Federico zonder morren aan de slag in het zwavelbad.

Lang duurde onze opluchting niet: ditmaal dreigde de kosteres de film te saboteren. Mónica lijkt wel zo deemoedig, altijd gebogen in de weer met bezem en stofdoek, maar haar invloed reikt ver, veel verder dan de trappen van de kerk. Als zij iets in haar hoofd heeft, gebeurt het, of gebeurt het niet. Niemand legt haar een strobreed in de weg, ook Padre Alfonso niet. (We delen onze pastoor met een naburig dorp, tien kilometer verderop, waar hij ook woont. Hij komt alleen 's zondags langs voor de mis en verder als het echt niet anders kan, voor de laatste rites rond een sterfbed en voor begrafenissen.)

Mónica laat zich de wet niet voorschrijven, door niemand. 's Ochtends voert ze haar invalide man een bordje pap, wast hem, schudt de kussens van zijn bed nog eens op en vertrekt naar de kerk. Om het uur gaat ze nog even terug naar huis om hem op zijn andere zij te draaien, of hem te helpen bij het plassen. Haar man zou haar het liefst de hele dag voor zich laten draven, maar daar trekt zij zich niets van aan. Zelfs zijn gekerm, dat ook door de dikke muren van de kerk doordringt, kan haar niet vermurwen.

Met vijf andere vrouwen houdt Mónica eens per maand grote schoonmaak in de kerk. Op zondag vormt ditzelfde groepje het koor, dat ook bij begrafenismissen zingt. Hun rauwe gezang dat klinkt alsof ze de was staan te doen bij een kolkende beek die ze maar net overstemmen, grijpt me nog altijd bij de keel. Ik sla geen begrafenis over. Die vrouwen wonen verspreid over Calderón en hebben in iedere straat en steeg van het dorp wel familie wonen. Als zij, en in hun kielzog hun zusters, schoonzusters en vriendinnen zich tegen de film bleven verzetten, kon Lars het wel vergeten.

Mónica was heel stellig: dat werd natuurlijk iedere avond zuipen, lallen, braken op de trappen van haar kerk. En wie kon de troep opruimen? Nee, als het aan haar lag, kwam er geen film. Ze luisterde amper toen ik uitlegde dat filmen gewoon hard werken was. Zoiets als een veld omploegen, of druivenstokken snoeien in de brandende zon. 'Die mensen zijn 's avonds veel te moe om de beest uit te hangen.' Ze keek me meewarig aan en schudde haar hoofd. Ik durfde haar weigering niet direct, niet woordelijk aan Lars over te brengen en draaide om de hete brij heen. Misschien dat Lars haar daardoor volkomen argeloos tegemoet trad met de vraag of hij de kerk vanbinnen mocht zien.

Bij het betreden van de kerk nam Lars zijn strooien hoed af, en eenmaal binnen sloeg hij langzaam een kruis. Vervolgens bleef hij een hele tijd staan, zonder iets te zeggen, terwijl hij zijn blik door de ruimte liet gaan. 'Als je buiten staat verwacht je zoiets niet. Prachtig, dat donkere houten plafond met die balken. Het is zo... intiem, net een huiskamer.' Ik was er niet zeker van of Mónica deze vergelijking als een compliment opvatte en vertaalde vrij dat hij nog nooit zo'n bijzonder kerkje had gezien. Zelfs niet in Rome waar hij alle kathedralen had bezichtigd.

In de vijfentwintig jaar dat Mónica kosteres was, had nog nooit iemand om een rondleiding gevraagd. Ze pakte zijn arm en lachte haar nieuwe kunstgebit bloot. Het paste nog niet helemaal, waardoor ze bij het eten veel pijn had en sommige woorden slissend uitsprak. Zij aan zij, met mij als een bruidsmeisje achter hen aan, liepen ze over het middenpad naar voren. Ze struikelde over haar woorden om hem alles te vertellen. Wat zij voor de kerk deed. Hoeveel uren per week zij hier onbezoldigd in touw was. En waarmee. Als Lars zich verveelde, wist hij het goed te verbergen. Verlekkerd somde Mónica op wat zij elke eerste maandag van de maand aan viezigheid onder de kerkbanken vandaan viste: papiertjes, haarschuifjes, tabakskruimels, tandenstokers, klontjes hard geworden kauwgom – die waren het ergst, die ging ze te lijf met een speciaal krabbertje.

'Of je het krabbertje wilt zien?' vroeg ik met opgetrokken wenkbrauwen. Lars wilde alles zien, alles aanraken, alles weten. Hoe ze eens in het halfjaar de vier grote kandelaars naar beneden takelde. Om het koper te poetsen. Koper bezorgde haar het meeste werk. Als je het niet bijhield, beet het stof er zich in vast. Als mot. En dan de bloemen... Minstens éénmaal per week schikte ze een nieuw boeket voor de heuphoge vazen aan weerszijden van het altaar. Altijd twee, natuurlijk, een vrouw heeft toch ook twee borsten. Nee, niet altijd zalmroze gladiolen. Was dat maar waar. Bloemen van de bloemist kon deze armlastige parochie zich niet veroorloven. Deze waren blijven staan na een begrafenis. Meestal moest ze zelf op pad met haar snoeimes om wat er zo in het wild groeide te vergaren. Mimosa. Witte en paarse irissen. 'Die vazen, wat die wegen, meneer, als ze gevuld zijn! Ga gerust uw gang. Probeer het maar. Nou voelt u het zelf... Voor een jonge man is het al haast geen doen.' Toen hij de vaas voorzichtig optilde, kneep ze even in zijn bovenarm. Lars was niet erg gespierd maar Mónica lachte bewonderend en hij liet het zich welgevallen.

Ze stond hem – bij hoge uitzondering – toe om een kijkje op het priesterkoor te nemen. Alleen de pastoor mag daar komen, de misdienaars en de vrouw die zondags de voorbedes leest. Toen Lars voor het tabernakel stond – een barok, met engelen versierd, roodkoperen kastje – vroeg hij iets waardoor hij verried dat hij niet vaak in een kerk kwam, althans niet voor de mis.

'Wat zit daarin, een bijbel?'

Hij wees naar de sleutel die in het slot van het tabernakel stak. Mónica negeerde zijn nieuwsgierige blik en pakte zijn uitgestoken wijsvinger. Hij stribbelde tegen maar zij leidde hem naar een nis, rechts van het altaar. Voor haar was dit het hoogtepunt van de rondleiding: het levensgrote Christusbeeld, gehuld in een lange velours mantel.

Ik was er inmiddels aan gewend, maar aan Lars' glimlach zag ik wat een curieus, om niet te zeggen schokkend beeld wij in ons midden hebben. Eerder iets voor in de etalage van een herenmodezaak dan voor in een kerk: de hard plastic huid is bronskleurig, alsof Jezus de hele dag op een handdoek op het strand van Torremolinos heeft gelegen. Boven zijn bruine glazen ogen zijn gekrulde wimpers geplakt, de zwaarste, dikste die er te koop waren; het soort dat Amerikaanse filmsterren droegen in de eerste soaps. Ze geven zijn blik iets lodderigs, verloederds, alsof hij onder zijn mantel een fles sherry verbergt.

Ik vermeed het Lars aan te kijken. Mónica houdt van het beeld, als van een man. Zij lijdt eronder dat hij nooit meer buiten komt. En zij is niet de enige. We herinneren ons al te goed hoe hij één keer per jaar door de straten van Calderón werd gedragen. Hoe levend hij dan werd. De cadans in de gang van de dragers van zijn *trono* deed hem van links naar rechts overhellen. Alsof hij daar werkelijk liep met een kruis op zijn schouder en bijna bezweek onder het gewicht. Als een briesje zijn mantel deed opbollen, leek hij nóg levender, de ogen van glas keken ons aan. Mij, iedereen, die daar stond langs de kant van de weg, een voor een. Dan huiverden we van ontroering, elk jaar opnieuw, alsof het de eerste keer was.

We proberen het geheim te houden – waarschijnlijk zijn we het enige bewoonde dorp in heel Spanje dat zo diep gezonken is – maar Calderón heeft sinds een jaar of tien geen *Hermandad* meer, geen broederschap die de *Semana Santa* voorbereidt. Geen trommelaars, geen kaarsendragers die in pijen met hoge puntmuts in de processie meelopen. Onze broederschap bestaat alleen nog in naam en telt te weinig leden. De jongeren laten het afweten. Die vieren de *Semana Santa* liever elders, in de stad waar ze werken, of in het geboortedorp van hun verloofde. Daarom liggen de namaak-edelstenen, satijnen kwastjes en de bussen zilverpoets – alles wat nodig is om de *trono* te onderhouden – in een schap in de *ferretería* te verstoffen.

Iedere dorpeling steekt wel eens een kaars op aan de voeten van Jezus, raakt ze aan, kust ze en bidt dat het tij zal keren. Ondanks stofdoek en natte lapjes zijn de wreven altijd wat smoezelig. Ook ik steek hier vaak een kaars aan. Voor een zieke. Of om een voornemen te bekrachtigen. Ook nu nam ik me in stilte voor, terwijl mijn blik op de vuile voeten rustte, niet te verlangen naar een man die toch weer wegging. Niet nog eens, niet weer die onrust. Lars vertrok en ik zou nog maanden aan hem denken, bij alles wat ik deed en dacht. Tijdens het vertalen zouden er andere zinnen door mijn hoofd spoken. De zinnen die ik hem zou schrijven zodra ik klaar was met mijn werk, gauw, gauw... Mijn leven zou beheerst worden door het verslag dat ik ervan deed in brieven aan hem. Al die anekdotes die ik hem zou vertellen, hadden maar één doel: in een bijzin te kunnen zeggen: 'Ik dacht aan je terwijl... als jij erbij was geweest zou jij dan ook... Ik mis je...'

Ik keek pas op toen Lars zich afwendde en terugliep naar het priesterkoor. Ik volgde zijn blik. Hij stond recht voor het tabernakel en plukte peinzend aan zijn kin, aan een sikje dat er niet was. Ik schraapte mijn keel. Er was nog meer te zien. Ik wilde hem meenemen naar de consistorie waar de toga's hingen en Maria al een jaar op schragen lag te wachten op de restauratie van haar rechterhand.

Ik vermoed dat Lars toen – oog in oog met het tabernakel – het idee gekregen heeft waardoor hij zijn bedrog zo lang kon volhouden: op een paar ingewijden na mocht niemand in de buurt van de bus komen.

Zes

Zijn kracht was dat hij iedereen serieus nam, of liever, iedereen voelde zich door hem serieus genomen. Gezien. Gewaardeerd. Maar laat ik proberen mijn herinnering niet te laten kleuren door wat ik de laatste vierentwintig uur van zijn verblijf over hem te weten ben gekomen. Na het ontcijferen van de aantekeningen in zijn agenda is alles nog verwarrender geworden. Hij deed niet alleen maar, niet voortdurend alsof.

's Ochtends werkten we samen aan het script. Hij paste de scènes, die hijzelf geschreven had, aan de locaties aan. Daarna werkte hij zijn ideeën uit tot een soort stripverhaal, zijn *storyboard*. Van ieder shot, van ieder tegenshot maakte hij een schetsje. Ik vertaalde de dialogen in het Spaans en typte ze uit op mijn laptop. Printen en fotokopiëren deden we in het gemeentehuis. Meestal werkten we op het terras van de *taberna* in de schaduw van een parasol. Dat het hele dorp over onze schouder meekeek, stoorde Lars niet. Integendeel. Telkens onderbrak hij het werk om uit te leggen waar de film over ging. Wie hem ook aanklampte, hij nam alle tijd. Hij praatte even makkelijk met de onderwijzer als met een olijvenplukker die kon lezen noch schrijven.

Dat hij niet altijd met onbekende gezichten werkte maar ook met grote namen, filmsterren van wie zelfs ik hier in het binnenland van Andalusië had gehoord, bleek uit een bijzin. Tussen de regels door. Uit een sms'je van Nicole Kidman dat nog in het scherm van zijn telefoon stond. Uit een staartje van een gesprek dat ik opving toen hij niet wist dat ik aan kwam lopen. Uit anekdotes die hij me – pas na lang aandringen – vertelde over festivals in Berlijn, Cannes, Locarno. Hij hield niet van gedoe. Hij zag er belachelijk uit in smoking, maar hij kon toch moeilijk elke keer iemand anders zijn prijs in ontvangst laten nemen.

Iedere inwoner van Calderón die bij hem kwam met een suggestie waar hij nog meer zou kunnen filmen, hoorde hij aan. Zo won hij hun vertrouwen. Voortdurend kwamen mensen ons vragen wanneer er bij hen voor de deur gefilmd werd. Of Lars nog belangstelling had voor de patio, het balkon, het uitzicht vanaf het dak? De *ferretería* deed goede zaken. Deuren en tralies werden geschuurd, met menie behandeld, gelakt. Wie geen aardewerken pot meer op de kop kon tikken, schilderde een olijfolieblik blauw en zette daar wat planten in. *El director* kon wel beweren dat de camera alleen langs de gevel gleed, het was toch beter het zekere voor het onzekere te nemen en ook de plavuizen in de gang te schrobben, meteen maar het hele huis schoon te maken, van onder tot boven, van plint tot plint, tot in het donkerste kiertje van de kleinste ladekast. De hele dag door hoorde je het geruis van schuurpapier, geplens van water, geschrob van harde en zachte borstels.

De enige die afstand tot Lars bewaarde, was Mariángela. Maar Lars wilde háár voor de rol van het jonge meisje, en geen ander. Hij raakte er maar niet over uitgepraat hoe bijzonder hij haar vond, hoe vrouwelijk, hoe zinnelijk. Alsof ik géén vrouw was. Hij vroeg of ik niet eens met haar kon praten: 'Jou vertrouwt ze wel.' Om mezelf niet te verraden haastte ik me te zeggen dat ik natuurlijk wilde bemiddelen.

Ik legde haar uit waar het verhaal over ging. Ze vond er niks aan. 'Als je deze rol aanneemt krijg je in zijn volgende film misschien een groter aandeel, een interessantere rol,' probeerde ik.

'Ik wíl helemaal geen actrice worden.'

'Hoe weet je dat nou? Je hebt nog nooit geacteerd. Het is een geweldige kans. Op jouw leeftijd heb ik ook van alles gedaan. Het duurt vaak jaren voor je ontdekt waar je werkelijk goed in bent. Hij heeft jou uitgekozen. Jou. Hij wil niemand anders voor die rol. Vind je dat geen eer?'

Heb ik dat gezegd? Ja, ik was nog erger dan zo'n moeder die haar dochter voor audities opgeeft omdat ze zelf graag actrice had willen worden. Mijn motieven waren zo mogelijk nog troebeler. Maar Mariángela liet zich niet manipuleren. Zij bepaalde de spelregels en ze veranderde ze voortdurend. Zo kende ik haar niet, zo wispelturig. Ik had niet door hoe groot de verwarring was waarin ze verkeerde, tot ze in huilen uitbarstte.

'Wat is er dan, vertel het me maar.'

'Natuurlijk wil ik meedoen maar het mag niet.'

'Wil je dat ik met je ouders praat?'

'Nee, die vinden het best. Het mag niet van Loreta.'

Iedere middag stak Mariángela het plein over om Loreta een pannetje eten te brengen. Terwijl Loreta at, maakte Mariángela haar bed op en leegde de po in de wc van de overburen. Loreta was heel belangrijk in Mariángela's leven.

'Wat zegt ze dan allemaal?'

'Dat hij mij... jou... het hele dorp in het ongeluk zal storten...'

'Ach wat! Je kent haar toch. Als die bang is gaat ze altijd zo raar praten.'

'Loreta, bang, waarvoor?'

Dat ze je kwijtraakt, wilde ik zeggen, aan hem.

'Al die mannen die ze niet kan zien, niet verstaat. Het hele dorp in rep en roer over iets waar zij zich geen voorstelling van kan maken...'

'En als het waar is? Zij wéét dingen van mensen.'

Ik streek een piek van haar voorhoofd. 'Slaap er nog eens een nachtje over. Je bent geen klein meisje meer. Probeer te bedenken wat je zelf wilt.'

'Wat ik zélf wil?' Het leek wel alsof dit advies haar nog meer in verwarring bracht. Het ene moment moest ik aan Lars overbrengen dat het filmen haar te veel tijd zou kosten, het volgende moment vond ze haar rol te klein.

Binnen vierentwintig uur zou ze beslissen, of toch maar niet. Ze kón niet beslissen voor ze haar tegenspeler had ontmoet. Mariángela, die nog nooit een camera van dichtbij had gezien, gedroeg zich als een heuse diva.

Zeven

Precies een week nadat Lars Henning had opgebeld, stopte er een bus met een Deens nummerbord op de Paseo Marítimo in Torremolinos. De auto was vuil van de lange reis, maar desondanks zag Lars het meteen: truc gelukt. In plaats van een onbestemd leverbruin met roestvlekjes was de bus nu egaal zwart. Trots, alsof hij werkelijk de eigenaar was van een bedrijf met negen werknemers in dienst, liep Lars om de bus heen. Hij opende de deuren en inspecteerde de apparatuur die Henning op de kop had getikt. Hij vergat niet de jongens uitbundig te prijzen. Morgen een stranddag, beloofde hij, en dan begon het grote avontuur. Om hun aankomst te vieren nam hij ze mee naar een visrestaurant aan zee. Hij trakteerde.

Gespannen liet hij zijn blik langs de gezichten gaan: zijn crew. Hij moest voor ieder van hen een specifieke taak bedenken, iets waardoor ze zich uitverkoren voelden. Alleen Per zou geen deel van de crew uitmaken. Per moest de mannelijke hoofdrol op zich nemen. De bewoners van Calderón waren diep teleurgesteld dat er alleen amateurs in de film meespeelden, daarom had hij vliegensvlug een Deens acteur uit zijn hoed getoverd, bekend van een populaire televisieserie. Per was geknipt voor die rol. Per kon geen seconde stilzitten en was verslaafd aan aandacht.

Ook over de anderen had Lars wel zijn ideeën maar hij liet zich er niet over uit, nog niet. In plaats daarvan krabbelde hij een gedachte in de agenda: *Ik herinner me al te goed de opwinding die ik als kind voelde als de hutkoffer met verkleedkleren werd omgekeerd. Het gegraai naar hoeden, boa's, een oud gordijn. Rondrennen in een veel te grote jas die naar mottenballen rook, en de jas werd een cape, een zeil, een schuilhut. Een wandelstok was een mast, of een zwaard, of een houten been. Dat je zomaar werd wat je wilde door het uitspreken van één zin: Ik ben koning, ik vampier, ik piraat... Later bleek iets worden zoveel moeilijker.*

Per als acteur en Henning als cameraman. Met minder zou Henning geen genoegen nemen en de rol paste ook wel bij de rustige, praktische jongen die hij was. Hij zag het al voor zich: hoe Henning zich vooroverboog, zijn oog naar het oculair bracht, terwijl hij als een cowboy op zijn paard over een rails werd geduwd, bewonderend gadegeslagen door een groepje omstanders dat op afstand gehouden werd door een rood-wit geblokt plastic lint. Hij noteerde het meteen in zijn agenda: *plastic afzetlint.* Als Bernardo weer praatjes kreeg, duwden ze hem een rol in de hand, dan had hij wat te doen.

Zo nu en dan trokken ze de aandacht van de andere gasten. Ja, kijken jullie maar, dacht Lars. Zoals ze hier zaten aan een lange tafel bezaaid met mobieltjes, *callsheets,* kopieën van het *storyboard,* bereidden ze toch heel geloofwaardig een filmproductie voor? Hooguit werd er iets te vaak en te hard gelachen, door elkaar heen getetterd. Alleen Johan hield zich wat afzijdig. De een beweerde dat ze binnen vierentwintig uur door de mand zouden vallen, de ander gaf hun hooguit drie dagen. Ze maakten er een weddenschap van met tabellen zoals wanneer ze met het hele huis naar voetbal keken. Ze probeerden elkaar te overtroeven: de een had een nog genialer idee dan de ander hoe het dorp te misleiden. Chris ging morgen net zo lang knutselen tot alle rode lampjes op alle kapotte apparaten brandden.

Het was maar zeer de vraag of ze het volhielden. Een paar dagen zouden ze het wel opbrengen, er de grap van inzien, maar Lars wilde meer. Tot het uiterste gaan. Hij wilde niet uit Calderón vertrekken voor de laatste scène in het blik zat. Morgen, op het strand, zou hij ze een voor een apart nemen. Tegen Per zou hij zeggen dat dit zijn kans was. Nu kon hij onderzoeken of hij wel het juiste temperament had om acteur te worden. Kon hij de discipline opbrengen om een tekst uit zijn hoofd te leren? Om dezelfde scène keer op keer over te doen?

Hij had er de laatste dagen vaak over nagedacht: de meeste jongens studeerden om aan een verwachting te voldoen. Om te worden wat hun vader, moeder, oom of tante ook waren. Jurist, econoom, iets in het bedrijfsleven. Alleen Hans studeerde psychologie – of was hij inmiddels overgestapt naar antropologie? – maar Hans kwam uit een familie van alfa's. Allemaal droomden ze wel eens hardop over een romantischer leven als artiest, ontwerper of uitvinder. Ze dachten dat ze die droom voor zich uit konden schuiven. Dat de droom wel kon wachten tot later, als ze eenmaal afgestudeerd waren. De bul die ze binnen een paar jaar hoopten te halen, was het vangnet dat een avontuurlijker leven mogelijk moest maken. Dom, dom... ze hoefden maar om zich heen te kijken op de jaarlijkse reünie om te weten dat dit een illusie was. Als ze eenmaal afgestudeerd waren, wilden ze geld verdienen, de jarenlange inspanningen beloond zien. Het verlangen naar avontuur nam meestal de vorm aan van een verre reis, die hooguit een halfjaar duurde. Ook Karl had hem nog niet zo lang geleden 's nachts in de keuken opgebiecht dat hij diep in zijn hart iets heel anders met zijn leven wilde dan jurist worden: een festival organiseren dat drie dagen duurde. Iets spraakmakends. Ja, Karl zou hij de leiding van de productie geven, of tot opnameleider bombarderen. Echt iets voor jou, Karl.

Johan leunde achterover in zijn stoel, de armen over elkaar geslagen. Dat er iemand aan tafel zat die niet moest lachen om zijn imitatie van Bernardo en niet deelde in de voorpret, zinde Lars niet. Alsof hij een circusact instudeerde, een levende piramide vormde met iemand die stond te zwalken op zijn benen. Wat wist hij van die jongen? Niets. Hij was nog nooit met hem doorgezakt. Johan woonde pas sinds januari in het huis, in het kleinste kamertje. Hij was op proef en kon pas doorschuiven naar een grotere kamer als er iemand anders afstudeerde. Hoe Johan bij de anderen lag, wist hij niet en dit was niet het moment om erachter te komen. Hij boog zich over tafel naar Johan. 'Wat is je probleem, vriend?'

'Het is immoreel om die arme sloebers erin te luizen,' sprak Johan lijzig.

'Dat zie je toch echt verkeerd. Wij brengen eindelijk weer eens wat leven in de brouwerij.'

'Jullie buiten ze uit. Jullie maken misbruik van hun gastvrijheid.'

'Nee, je snapt het niet. Ik heb vooral scènes geschreven waar het hele dorp aan mee kan doen. Zodat ze er allemaal plezier van hebben.'

'Wat voor scènes? Gebakken lucht. Je bent helemaal geen schrijver.'

Beschermend legde Lars zijn hand op het script. 'Als de geoloog voor het eerst de vrouw van zijn leven ziet, is ze citroenen aan het plukken. Dat moest toch gebeuren ergens in de komende weken. Nu doen ze het met z'n allen, op dezelfde dag. De bruiloft filmen we in de kerk, met een heus koor. Ik wist niet wat ik hoorde, zo mooi. Het is nog nooit gefilmd. Er bestaan zelfs geen geluidsopnames van. Die oudjes vinden het fantastisch dat het wordt opgenomen. De bruiloftsmaaltijd speelt zich af op het plein. Iedereen neemt een gerecht mee. We vieren een feest waar toevallig een camera bij staat. Je zult zien dat ze in een mum van tijd vergeten zijn dat er gefilmd wordt. Wat kan het voor kwaad?'

'En wat als ze erachter komen dat je niet van plan bent de hotelrekening te betalen?'

'Dan zijn wij allang vertrokken.'

Acht

Zoals Lars het zijn huisgenoten voorspiegelde, die avond in het restaurant aan zee, zo ongeveer is het gegaan. Was er bij een of twee bewoners nog een lichte scepsis, die verdween toen er een middelgrote zwarte vrachtwagen ons dorp binnenreed. Op beide zijkanten stond het woord Cinetotal, zonder e. Op de rechterachterdeur het logo van het bedrijf, een stukje celluloid waarvan het uiteinde heel subtiel over de sluitnaad met de linkerdeur was heen geschilderd.

De auto maakte een rondje door heel Calderón. Langs de nieuw betegelde bloembak waarin nu felgele en oranje afrikaantjes bloeiden, over de Calle de los Baños langs het zwavelbad, over het plein, naar boven. Alle bewoners waren uit hun huis gekomen. Ze stonden op de stoep of hingen over de rand van hun balkon om maar niets van de intocht te missen. Aan het eind van het dorp volgde de bestuurder van de vrachtauto de Calle de Cementerio die als de lus van een strop om de begraafplaats ligt, en reed dezelfde weg terug, heuvelafwaarts.

En zo kon het niemand ontgaan, ook Mariángela niet die in de deuropening van de *taberna* stond: het was zover. Het voertuig hield op het plein stil. Er rolden acht jonge mannen uit. Welopgevoede jongens waren het, die zich meteen kwamen voorstellen en beleefd vroegen in welk van de twee hotels ze waren ingedeeld. Ik had een kamer te veel geboekt: één medewerker van Cinetotale, Johan geheten, vond het bij nader inzien praktischer om vanuit het kantoor in Torremolinos te opereren.

Nadat ze hadden ingecheckt, gingen de mannen aan het werk. Lars liep met zijn cameraman over het plein en wees hem waar de verschillende scènes zich afspeelden. Ik keek mijn ogen uit: hoe Henning een situatie inschatte, met zijn handen een kader vormde dat hij van links naar rechts bewoog. Er werd van alles besproken, opgemeten, er werd gewikt en gewogen in een taal die behalve de crew niemand verstond. Zo nu en dan ving ik geheimzinnig klinkende woorden op als *pan, zoom, tilt, track...*

Mariángela ging overstag. Het waren er domweg te veel, te veel aardige jongens die met kisten en kabels sjouwden. En ze straalden zo'n aanstekelijk plezier uit. Zoveel energie. Nerveus rolde Mariángela een plastic sliert van het vliegengordijn om haar vinger. Toen ze even later het terras op wilde lopen om beter te kunnen

zien hoe Lars met zijn gevolg de Calle de la Iglesia in-
sloeg, vergat ze dat ze nog vastzat. Ongeduldig probeerde ze zich te bevrijden, ze leek wel een jong hondje aan
een touw.

Het hele dorp verkeerde in staat van opwinding, zoals
vroeger aan de vooravond van de *Semana Santa*. Wie het
huis nog niet had gewit, deed dat nu terstond. De huizen
die in lang vervlogen tijden Andalusisch geel waren geweest, werden in allerijl met *albero* geschilderd. En na de
huizen waren de bewoners aan de beurt. De figuranten
vroegen mij wat ze aan moesten trekken voor de scène in
de boomgaard, in de kerk, in het zwavelbad. Kregen ze
kostuums aangemeten of moesten ze zelf iets uit hun
kast halen. Moet mijn snor eraf? Wil hij dat ik mijn haar
los doe of in een knot? Of zal ik het verven, dan lijk ik jonger? Gaan we lopend naar de boomgaard of op de muil-
ezel? En als we daar eenmaal zijn, wat dan? Ik heb weliswaar geen tekst maar toch... wat moet ik precies doen?

'Hoe moeten ze zich gedragen, Lars? Je zult ze straks
echt een opdracht moeten geven.'

'Maar zo moeilijk is het toch niet?'

'Ze hebben nog nooit voor de camera gestaan. Je wilt
niet dat ze in de lens kijken en de groeten doen aan oom
Julio in Valencia.'

'In de eerste scène hoeven ze alleen maar citroenen te
plukken. Hoe en wat vertel ik ze morgen wel. Het wijst
zich vanzelf.'

'Maar wat is hun gemoedstoestand? Zijn ze opgelucht
omdat de oogst meevalt... of wat? Er zijn zoveel manieren om citroenen te plukken. Vermoeid, gehaast, routi-
neus.'

Het ergerde me dat hij hier nog niet over had nagedacht; tegelijk streelde het mijn ijdelheid dat mijn vragen hem keer op keer in verlegenheid brachten, hem dwongen concreet te zijn.

'Ze moeten spelen dat ze gelukkig zijn.'

'Gelukkig...? Zoals stadmensen zich voorstellen dat boeren zich voelen?'

'Dat is het verhaal. Ziekte en dood bestaan niet in die vallei. Wat moeten ze dan spelen volgens jou? Zichzelf?'

Verschrikt schudde ik van nee. Door me voor te stellen wat voor indruk de figuranten zouden maken als ze zichzelf waren, besefte ik hoe verbitterd de inwoners van Calderón meestal keken. Met hun geklaag hadden ze zelfs hun kinderen van zich vervreemd.

'Het zou al heel wat zijn als ze spelen... als ze niet zo verongelijkt terugkijken op hoe veel beter het leven hier vroeger was. Gewoon... een beetje... hoe zeg je dat... tevreden.'

'Goed, maar hou het simpel. De opdracht is: glimlachen.'

Hij boog zich naar me toe en streek met zijn vinger over mijn onderlip. 'Zoals jij nu glimlacht.'

Voor ik me af kon vragen wat er gebeurde, had hij zijn hand alweer teruggetrokken.

'Waarom heb jij geen vriend, Lydia? Hoe lang ben je nu al weduwe?'

'Mannen van mijn leeftijd zijn hier dun gezaaid.'

'Een oudere man of een jongere?'

'Ik ben te lang voor de mannen hier,' zei ik vlug, 'of zij te klein voor mij.'

'Is dat echt zo onoverkomelijk?'

'Ja... Nee. Vraag niet zoveel.'

Ik wilde opstaan en met mijn mappen en blocnotes naar een ander tafeltje uitwijken maar ik hield mezelf tegen. Voor hem was het spielerei. Hij was dat veegje over mijn lip allang weer vergeten.

Na de siësta liet Lars acteurs, crew en figuranten naar het dorpsplein komen. Ik vertaalde wie wanneer en waar aanwezig moest zijn. Alleen de crew, de twee acteurs en ik hadden een script. De anderen moesten het doen met mijn uitleg. Dat vond niemand een bezwaar, het bespaarde de alleroudste inwoners de gêne te moeten bekennen dat ze niet konden lezen. Het script was opvallend dun, het bevatte alleen de scènes die zich in en om Calderón afspeelden. Niet die in juni in Egypte gedraaid zouden worden, daar werd nog aan geschaafd.

Ik vertelde iets over de eerste scène die morgenochtend zou worden opgenomen. Of er nog vragen waren? Over het verhaal, over andere zaken? Lars beantwoordde de vragen een voor een, volkomen ontspannen, tot elektricien Pepe zijn hand opstak. 'Waarom hebben jullie geen aggregaat bij je?' Toen ik de vraag in het Spaans vertaalde, trok er een zenuwtrek over Lars' gezicht. Hij wendde zich tot Henning, in het Deens.

Henning was de man van de techniek, Lars van de verbeelding. Hij vertelde of tekende wat hij wilde zien, Henning zorgde ervoor dat het er kwam. Zo was hun rolverdeling, al jaren. Henning had aan een half woord genoeg, daarom waren ze zo'n goed team. Het verbaasde me dan ook niet dat Henning de vraag over de stroomvoorziening beantwoordde.

'Goed dat u het opmerkt... U hebt zeker al vaker een

filmploeg aan het werk gezien? Wij hebben inderdaad geen aggregaat bij ons. Zo'n aanhangwagentje met een aggregaat is voor het licht. Uit principe werkt Lars alleen met het beschikbare licht. Met het licht dat er al is. Met daglicht, lamplicht. Als het nodig is versterken we het hier en daar wat.' Om het te demonstreren haalde zijn assistent een groot stuk piepschuim uit de techniekwagen.

'Dit is voor een scène die zich in de sneeuw afspeelt,' beweerde een van de figuranten, een rietboer die de afgelopen dagen goede zaken had gedaan omdat alle afdaken ineens gerepareerd moesten worden. 'Let maar op. Nu is dat tafeltje nog een gewoon tafeltje. Stuk piepschuim erop en het is een besneeuwd tafeltje.'

Hennings assistent liep met het piepschuim naar Mariángela. Lars nam haar bij de hand en plaatste haar in de schaduw van een plataan. Ik slikte. Hij raakte haar aan maar niet op de terloopse manier waarop hij zijn arm om mijn middel legde. Toen ik wegkeek, zag ik dat Elisa me bezorgd gadesloeg. Ik deed alsof ik het niet merkte. Nee, ik zou haar niet in vertrouwen nemen, ik wist al wat ze ging zeggen: wees toch voorzichtig. Al zou ik willen, ik kón hem niet ontlopen. We werkten samen. Ik was zijn tolk. Ik moest voortdurend in zijn buurt blijven.

'*Guapa, guapa...*' Het piepschuim ving het zonlicht op en kaatste het naar Mariángela's blote schouder, hals, de zijkant van haar gezicht. Naar het wit van haar ogen. Zoals ze daar stond, de mond verbaasd geopend, had Vermeer haar zo als model willen hebben. Alleen de parel ontbrak. En weer ging er een bewonderend '*guapa*' door de menigte. Niet alleen Pepe, iedereen genoot van dit staaltje ambachtelijk vernuft. Hier waren vaklui aan het werk, dat zag je zo.

Nog meer vragen? Nee, de film werd niet op video ge-draaid, zoals de meeste films op televisie, maar op 16 millimeter, op celluloid. Dat gaf een mooi gruizig effect dat goed paste bij de ruige vallei en bij de puurheid van de bewoners. Waar al die kabels voor waren? Die hoorden bij de geluidsapparatuur en liepen naar de techniekwa-gen. Toen vroeg Lars het woord weer. Voor zijn doen klonk hij nogal plechtig en ik probeerde in mijn vertaling evenveel ernst in mijn toon te leggen.

'Er is één ding dat hij jullie op het hart drukt. Alleen de crew mag in de Cinetotale-wagen komen. Ik begrijp dat jullie nieuwsgierig zijn, maar hou afstand. Er staat daar voor tonnen aan apparatuur, zeer kwetsbare appara-tuur.'

Er werd geknikt. Het leek zo'n vanzelfsprekend gebod. Overal waar gewerkt werd, was zo'n plek waar je niet zo-maar binnenliep, een heiligdom dat, behalve voor inge-wijden, taboe was.

Toen alle vragen beantwoord waren, bood Lars ons na-mens Cinetotale een maaltijd aan in de *taberna*. Hij vroeg een applaus voor Teresa, die niet alleen deze maal-tijd zou bereiden, maar gedurende de hele opnameperio-de de *catering* op zich nam. Inderdaad, het was hem ge-lukt zelfs haar voor zich te winnen. Hoe? Dat wist hij zelf ook niet. Er werd gefluisterd dat Teresa op een nacht, een paar dagen nadat Lars gearriveerd was, wakker schrok. Niet omdat Bernardo een stoel omverliep, maar omdat het zo stil naast haar was en bleef. Even dacht ze dat haar man in zijn slaap gestorven was, maar Bernardo ademde nog. Hij snurkte alleen niet. Jarenlang had ze gefoeterd en gebeden dat hij wat minder zou drinken. Tevergeefs.

Wat haar en de heilige Maagd en alle andere heiligen die ze had aangeroepen, niet was gelukt, had die vreemde snoeshaan wel voor elkaar gekregen. Bernardo dronk niet meer. Hij moest het hoofd koel houden. Hij had het druk. Met regelen. Met het geven van opdrachten voor het wegwerken van achterstallig onderhoud. Met het laten wegslepen van tientallen autowrakken en oude koelkasten die het zicht op de mooiste doorkijkjes belemmerden.

'En aan het eind van de laatste draaidag is er weer een feest. En halverwege de rit, als het grootste aantal draaidagen erop zit, wordt dat natuurlijk ook gevierd,' riep Lars. En nu kon *el director* zelf een lang applaus in ontvangst nemen. Opgewonden herhaalden wij de nieuwe termen die ons om de oren vlogen, *kick-offparty, over the hill party, wrapparty*. Al die maaltijden, feesten, dat hoorde erbij, dat was blijkbaar traditie. Uitgebreid bespraken we de geheimzinnige wetten en rituelen die bij de wereld van Cinetotale hoorden. Een wereld waarvan wij van nu af aan deel uitmaakten, al was het maar voor een week.

Negen

Het was de eerste draaidag, een heldere voorjaarsoch-
tend. De kerkklok had zojuist acht uur geslagen. Tot een
uur of elf zouden we in de citroenboomgaard filmen. Het
deed me goed het vertrouwde landschap door de ogen
van Lars te bekijken. Met zijn verliefde blik. Het koolzaad dat als gele tule over de velden lag; de heuvels aan de
overkant met onafzienbare rijen olijfbomen, strak in het
gelid. Een mooier jaargetijde had hij niet kunnen kiezen.
Over twee maanden, wanneer in het noorden van Europa de zomer begon, zou het gras hier alweer verdorren.
Nu zag ik meer tinten groen om me heen dan ik kon be-
noemen.

Ik zat al een poosje met mijn rug tegen een boom te wachten, toen de eerste figuranten kwamen aanlopen. Niet direct van huis, maar uit de gymzaal van de school waar Ole van de make-up zich had geïnstalleerd. Geschrokken kwam ik overeind. De eerste dag, en prompt ging het mis: voor deze scène had ik om werkkleding verzocht, maar niet één figurant had zich eraan gehouden. Teresa droeg haar zondagse jurk en een rode roos in het haar, Carlos een paars overhemd, Pepe nieuwe gymschoenen met fluorescerende lichtjes in de zolen die bij iedere stap opflikkerden. Vrijwel iedereen had voor de gelegenheid iets nieuws aangeschaft: een zonnebril met spiegelende glazen, een honkbalpet. Ik haastte me naar Lars, die met Henning in gesprek was.

'Ik begrijp er niets van... Ik dacht toch echt dat ik heel duidelijk was geweest.'

'Wat is er?'

'Dit is vast niet wat je in je hoofd had.'

'Wat bedoel je?'

'Het speelt zich toch af op een gewone werkdag? Niet op een *fiesta*, of op een bruiloft?'

Hij kneep zijn ogen tot spleetjes, maar zei niets. Inmiddels waren alle figuranten op de set gearriveerd. Ze stonden op een kluitje bij elkaar te wachten op wat komen ging, Lars en Henning bij de camera iets hoger, op een heuveltje. Verlegen keken de figuranten naar Lars – zagen ze er goed uit? – en van Lars naar mij. Ergens tussen de bomen balkte een ezel luid en smachtend, alsof hij de vraag die in de lucht hing, had geroken. Er werd gegiecheld, iedereen zag er de grap van in, behalve Lars. Hij zag er vreemd, ontdaan uit.

'Lars, wat is er... Voel je je niet goed?'

Hij herstelde zich, knikte naar de figuranten en stak zijn duim op. Hij waardeerde het enorm dat ze zo hun best hadden gedaan. Of ik hun dat wilde zeggen.

'*Silencio, por favor.*'
  'Camera?'
  'Loopt.'
  'Geluid?'
  'Loopt.'
  'Actie.'

Waar twee Spanjaarden bij elkaar zijn, wordt gepraat. Als er niemand in de buurt is om mee te kletsen, dan praat je in jezelf of tegen de vuile voeten van Jezus. Ofschoon de hele volwassen bevolking van Calderón op de been was, viel er een haast gewijde stilte. Het was een onwezenlijk schouwspel: al die mensen en het enige wat je hoorde, was het geritsel van de bladeren als er een citroen werd geplukt, het plofje van de vrucht in een rieten mand, het knappen van een takje.

Vanaf het moment dat de camera liep, vanaf het moment dat op een teken van Lars iedere beweging, handeling, blikwisseling werd opgenomen, ging het vanzelf. De bewoners van Calderón glimlachten, en niet omdat het moest. Het was niet te merken dat iedereen, op een paar jongeren na, kromgegroeide gewrichten had of een slecht zittend kunstgebit. De figuranten liepen elkaar bij het plukken niet in de weg, ze botsten niet tegen elkaar op. Lars had laten weten dat er onder deze scène later muziek gemonteerd zou worden, en tot mijn verbazing bewogen ze zich alsof ze die muziek al hoorden. Alsof ze wisten hoe en wanneer te bukken, te reiken, te draaien, op te kijken. Een dans met een onzichtbare geliefde.

Uit het script had ik opgemaakt dat deze impressie van het dal en zijn bewoners hooguit een minuut zou duren, en overging in een *zoom* op Mariángela. Maar Lars brak de scène niet af, niet na een, niet na drie, niet na vijf minuten. Ik keek naar Henning, maar die bleef aan zijn oculair gekleefd, ook hij wachtte waarschijnlijk op een teken van Lars. Ik keek hem van terzijde aan... Zag ik het goed, stonden er tranen in zijn ogen? Hoe vaak had hij dit niet meegemaakt, de eerste *take* op de eerste draaidag van een nieuwe film en nog steeds raakte het hem. Zijn ontroering ontroerde mij en in die stemming begon ik te twijfelen: waarom zou ik Lars geen toestemming geven om de slotscène in El Valle Olvidado te filmen? Als Lars kon draaien waar hij wilde, werd de film – onze film – nog mooier. En niemand die de film zag, hoefde te weten waar die scène gedraaid was. Het bleef Ians geheime tuin.

De opnames verliepen voorspoedig. Regisseur en crew, crew en figuranten voelden elkaar goed aan. Ook de co-producenten waren, verzekerde Lars ons, enthousiast. Na twee dagen werd het materiaal in een met gaffertape verzegeld filmblik naar het laboratorium in Málaga gebracht waar het werd ontwikkeld. Van daaruit werd een digitale kopie naar Kopenhagen verzonden waar de mannen achter de schermen de beelden bekeken.

Ik had wel eens opgevangen dat er tijdens het filmen eindeloos gewacht werd – filmen ís wachten – maar dat gold niet voor ons, niet voor deze productie. 'Omdat wij niets speciaal uitlichten,' zei Henning, 'dat scheelt een hoop tijd.' 'Omdat ik me zo grondig heb voorbereid,' verklaarde Lars, 'dat is het halve werk.' Hoe dan ook, de shots stonden er altijd in twee, drie keer op en zo hielden wij voldoende tijd over om te eten, te drinken en ons met elkaar te vermaken.

Ieder van ons had op de televisie wel eens een interview met een regisseur of filmster gezien, maar nu speelde het volle leven zich hier af, in ons midden. En dat niet alleen, de bewoners van Calderón waren de hoofdrolspelers, de sterren. Als ze niet in beeld waren, liepen ze rond in een T-shirt met een olijfboom. Op de rug stond het logo van Cinetotale, zodat het goed zichtbaar was: wij horen erbij.

Niet alleen de figuranten, ook de crewleden hadden het naar hun zin. Het werken in de buitenlucht deed hen zichtbaar goed. Ze genoten van de aandacht, van het aanzien dat ze in het dorp hadden. Fluitend voerden ze hun taken uit. Werden ze op het eerste feestje nog omringd door vrouwen die hun oma hadden kunnen zijn, daar kwam algauw verandering in. Op het gerucht dat er in Calderón een film werd opgenomen, kwamen jonge meisjes toegesneld, uit de wijde omgeving. Plotseling doken ze op als salamanders op de eerste warme dag. De maaltijden duurden steeds langer en de siësta's ook. Zolang we zo goed op schema lagen, zag Karl het door de vingers. De boog kon niet altijd gespannen zijn.

Om nog efficiënter te kunnen werken, eiste Lars meer repetitietijd, tijd waarin hij zich puur op de inhoud van de scène kon concentreren zonder zich om de techniek te bekommeren. De enige twee die een scène met een dialoog hadden, waren Per en Mariángela. Wat lag er meer voor de hand dan dat Lars met hen samen zou repeteren? Ik had de tegenspelers al om elkaar heen zien draaien, blikken zien wisselen. Gezien dat Per zijn handtekening zette op Mariángela's arm.

Maar Lars wilde met Mariángela apart werken, zonder Per erbij. Die twee konden in dit stadium beter niet al te vertrouwelijk met elkaar worden. Dan ging de glans eraf, dan sijpelde de spanning weg. Zij was tenslotte geen actrice. Ik had Mariángela een jaar bijles gegeven, ze kon zich in het Engels redelijk verstaanbaar maken. Toch smeekte ze me bij de repetitie aanwezig te zijn. Ik weet niet wat me bezielde toen ik ja zei. Dit keer ging ik wel erg ver in mijn ijver een plichtsgetrouw tolk te zijn, de ideale assistente. Of was het meer dan ijver, wilde ik mezelf bewijzen dat ik niet jaloers was op Mariángela's jeugd, op haar olijfmatte huid? Op het effect dat zij op Lars had? Vanaf de eerste draaidag was hij in zijn element geweest, bij iedere scène leek hij te groeien, straalde hij meer gezag uit, maar zodra Mariángela op de set verscheen, gebeurde er iets anders met hem. Dan ging hij luider praten en werd hij plotseling veel energieker. Mannelijker.

De repetitie vond plaats in het dorpshuis. We zetten ons aan de lange vergadertafel. Lars en zij ieder aan een korte kant, tegenover elkaar, ik tussen hen in. Mariángela sloeg het script open, diepte een balpen uit haar tas op, en een modieus leesbrilletje dat ik haar nog nooit had zien dragen. De ontmoetingsscène op de brug besloeg twee bladzijden. Lars had de betekenis van de scène vooral in beelden uitgedrukt: in een blik, een gebaar, een handeling. Mariángela hoefde slechts een paar korte zinnetjes uit het hoofd te leren. Minstens zo belangrijk, legde Lars uit, was hoe zij reageerde op de tekst van haar tegenspeler.

Mariángela zette haar brilletje op en meteen weer af. Poetste de glazen met de zoom van haar korte rokje, stootte daarbij de koffie om die ik uit de *taberna* had meegenomen. Lars probeerde haar op haar gemak te stellen: repetities zijn er om vragen te stellen, over de rol, over de situatie. 'Dus vraag maar...'

Er viel een lange stilte. Mariángela had geen flauw idee. Lars had een heel uur voor haar had uitgetrokken. Ze keek me met grote paniekogen aan, alsof ze examen moest doen. Het zweet brak haar uit en het brilletje, dat ze waarschijnlijk geleend had om een intelligente indruk te maken, zakte telkens van haar glimmende neusje.

'Lees de scène rustig door en probeer je in te leven, je stap voor stap voor te stellen wat er gebeurt,' probeerde ik in het Spaans. 'Dan stuit je vanzelf wel op iets wat niet duidelijk is.'

'Nou, ik loop over de brug met mijn mand vol citroenen en zie die man achter me. Daar is toch niets moeilijks aan?'

Ik kon het niet laten en in mijn vertaling voegde ik eraan toe: 'Waarom kijk ik om? Hoor ik hem aankomen? Wat gebeurt er dat ik plotseling omkijk terwijl ik de brug oversteek? Is dat niet een beetje eigenaardig?'

'Zij heeft maar een paar woorden nodig, jij veel meer,' mompelde Lars argwanend.

'In het Spaans zeggen we alles nu eenmaal wat bondiger.'

Het duurde even voordat Lars met een antwoord

kwam. Ik vertaalde het voor Mariángela en in één moeite door legde ik haar de volgende vraag in de mond. In zijn *storyboard* had hij de situatie op de brug heel gedetailleerd getekend, maar wat ging er in de hoofden van zijn stripfiguurtjes om?

Zo ging het een poosje over en weer. Toen zij vroeg 'Wat gebeurt er nou precies tussen die man en mij', en hij antwoordde: 'Ze vallen op elkaar... een vonk die overspringt... you know what I mean...', liet ik haar onmiddellijk vragen: 'Waarom voelt ze zich tot hem aangetrokken? Of is ze zo gretig op zoek, zo rijp om geplukt te worden dat het iedere toevallige voorbijganger had kunnen zijn? Verveelt ze zich in dat paradijselijke oord waar ze al een eeuwigheid woont? Voelt ze zich opgesloten? Is hij haar enige kans op ontsnapping?'

Lars keek haar verrast aan, en ook Mariángela werd steeds geestdriftiger. Dat er in één zin zoveel gedachten scholen. Dat ze alleen het woordje *hola!* op zoveel verschillende manieren kon zeggen. Er ging een wereld voor haar open. Intussen pijnigde ik mijn hersens af, ik formuleerde, fantaseerde. Ik vergat helemaal dat dit niet in mijn belang was. Integendeel. Met elke vraag van Mariángela wakkerde ik Lars' interesse aan, en met elk antwoord dat hij gaf, groeide haar bewondering voor hem. Ik dreef hen in elkaars armen, tot ik buiten hun tovercirkel stond. Zonder het te beseffen was ik hun Cyrano geworden.

Ik merkte het pas toen er een stilte viel. Ik zag hoe ze elkaar aanstaarden. Het liefst waren ze over die lange tafel met scripts, asbakken, koppen koffie en glazen water naar elkaar toe gekropen. Lars opende zijn mond maar er kwam geen geluid uit. Hij nam een slokje water, zij nam een slokje water. Ik raakte mijn glas niet aan.

'Laten we het script dichtdoen,' zei hij ten slotte, 'en op de vloer verder improviseren. Dan komen er vast weer andere eigenschappen van je personage tevoorschijn. Ik doe de rol van Per wel.'

Ik besloot het moment waarop Lars zei dat ik kon gaan niet af te wachten. Ik hield de eer aan mezelf en verzon een smoes om weg te komen. Wat ik heb gezegd, weet ik niet... Het doet er ook niet toe, want halverwege de zin bestond ik niet meer voor ze. Als ik ter plekke ineengeschrompeld was als de vrouw in het script op bladzijde twaalf, dan hadden ze het niet gemerkt.

Tien

De scène die Lars zo grondig met Mariángela had doorgenomen, moest tijdens de opnames ettelijke malen over. Niet vanwege technische of andere problemen – een vlekje op de lens – maar omdat onze hoofdrolspeelster zich telkens versprak.

'Ontspan je, liefje,' zei Lars. 'Desnoods spreek je de woorden later apart in en monteren we de beste versie eronder.'

Aan de manier waarop hij zijn hand in haar nek legde, zag ik dat ze die ochtend veel intiemer waren geworden. Maar wat er ook gebeurd mocht zijn, veel profijt had hij er nu niet van. Ze kon zich niet concentreren. Als ze de zinnen niet verhaspelde, lepelde ze ze op. Alsof ze de woorden van een schoolbord las in plaats van in de ogen van haar geoloog. Het was niet om aan te zien, het deed pijn aan mijn oren. Bezorgd keek ik naar Lars. Ik zocht steun bij Henning, bij Karl, bij Per die me verteld had dat hij al vanaf zijn tiende voor de camera stond, maar niemand leek mijn verbijstering te delen.

Tot nu toe had ik Lars steeds verdedigd. Ik bewonderde de lankmoedigheid waarmee hij iedere teleurstelling opving, maar nu werd ik ongerust. Waar was zijn gevoel voor kwaliteit, voor poëzie? Waren zijn maatstaven wel zo hoog? Misschien had ik me in hem vergist en was hij helemaal niet zo'n groot talent. Even schoot door me heen wat Loreta gisteren had gezegd, maar ik verdrong het onmiddellijk.

Cut. Niet te geloven, nu moest het al weer over. *Take* 7. Weer die schaapachtige grijns van Lars naar Henning, alsof er niets op het spel stond, er geen duur celluloid werd verspild maar een rolletje plakband. En waaraan? Aan geklungel. Ik werd steeds bozer. Op hem. Op mezelf. Ik had Mariángela overgehaald. Zij kon het niet helpen dat hij een actrice in haar zag. Hij moest haar tegen haarzelf beschermen. Dat was hij tegenover haar, zichzelf en de film verplicht. Hij moest de zaak stopzetten, Mariángela naar huis sturen en een ander meisje voor de rol laten auditeren, meisjes genoeg op de set.

'Lars, kunnen we even pauzeren?' vroeg ik tussen twee *takes* door.

'Wat kijk je boos?'

'Wees eerlijk. We hebben ons vergist. Ze kan het niet,' fluisterde ik.

'Hoe kom je daar nou bij?'

'Ik sta er met kromme tenen naar te kijken.'

'O, nou dat zal dan wel... maar in beeld is het heel anders.'

'Hoezo heel anders? Monteer je haar tot een... tot een totaal andere actrice?'

'Ik zou niet weten waarom. Mariángela vangt licht. De camera houdt van haar. Dat is het enige wat telt. Het is geen toneel, het is film. Als je het straks op het doek ziet zul je zien wat ik bedoel.'

Ik liet me geruststellen. Wat wist ik ervan, van dit raadselachtige metier? Alles kon blijkbaar nog veranderen. Door de montage, door het geluid, door muziek, door een *voice-over*. Kon ik haar spelprestaties nog wel beoordelen? Niemand van de crew leek zich te ergeren. Iedereen had geduld met haar, behalve ik. Misschien was er vanochtend een splinter uit de spiegel van de ijskoningin in mijn oog terechtgekomen en zag ik alleen nog maar wat Mariángela verkeerd deed.

Heb het gevoel dat Lydia de boel niet meer helemaal vertrouwt... Ze kijkt me soms zo onderzoekend aan, schreef Lars diezelfde avond in de rode agenda, zinnen die ik pas maanden later te lezen zou krijgen. *Hoe druk ik die scepsis de kop in? Tijdens een hoosbui aan het eind van de middag zei ze nogal koeltjes dat het wel leek alsof de mensen uit het dorp bezorgder waren over de apparatuur dan de crew. Ze had gelijk. De eerste druppels waren nog niet gevallen of de Spanjaarden renden af en aan met paraplu's, regencapes, stukken plastic. Ze schaterden het uit. Ik heb mensen nog nooit zo dolgelukkig op een beetje regen zien reageren. Zij*

maar rennen en lachen en grappen maken terwijl mijn jon-
gens er sullig bij stonden alsof de regen een 'special effect'
was dat op een vingerknip van mij weer zou ophouden.

N.B. Moet ze beter instrueren. Hun aandacht verslapt. De
eerste dagen waren ze voorzichtiger met de spullen. Nu ge-
dragen ze zich als verwende kinderen die op hun nieuwe
speelgoed uitgekeken raken. Zo dacht ik tijdens een wande-
lingetje met Mariángela dat er een dooie kat in de bosjes lag.
Bleek het een richtmicrofoon te zijn met zo'n donzen wind-
kap, achtergelaten door Chris.

Wat me ook niet zint, is dat Lydia de orakeltaal van dat
enge mens serieus neemt. Hoewel Loreta stekeblind is, staat
ze er bij de opnames vaak met haar neus bovenop. Gisteren
zelfs vlak bij de achterkant van onze bus. Ik hoor niets,
schijnt ze gezegd te hebben, eerst tegen Carlos en later tegen
Lydia, die het weer aan mij doorvertelde. Loreta schijnt zelfs
de allerlichtste zoem op te vangen. Tonen en frequenties die
wij niet horen, hoort zij wel. Niet alleen van koelkasten,
speakerboxen en computers, nee van alle elektrische appa-
raten hoort zij of ze aan of uit staan. Ik vrees dat ik wat al te
erg uit mijn slof geschoten ben: Wat is dit voor een bijgelovig
boerenlullendorp! De een denkt dat water bij voorkeur
naar Mozart luistert, de ander dat elektriciteit kan praten.
Loreta kletst uit haar nek... So what. Waarom val je mij
daarmee lastig? Alsof ik nog niet genoeg aan mijn hoofd
heb!

Elf

Aan het eind van elke draaidag ging ieder zijns weegs, voor een late siësta, een douche of schone kleren. Tegen tienen verzamelden ze zich dan in de *taberna*, de crew, Mariángela en een trosje vriendinnen. Soms voegden Bernardo, Carlos en ik ons bij hen. Ik ging niet elke avond mee. Ik ben al zo lang alleen, de hele dag mensen om me heen is me te vermoeiend. Toen ik net weduwe was, vond ik het een verschrikking, maar ik ben er inmiddels aan gewend geraakt alleen te eten. Of dat goed is, weet ik niet, maar als ik in mijn eentje eet met de radio aan, voel ik me minder eenzaam dan wanneer ik bij een gezin aanschuif. Dan wordt er van me verwacht dat ik uitgebreid informeer naar het wel en wee van alle nog in leven zijnde familieleden en dat breng ik niet altijd op.

Maar ik beken dat ik genoot van het gedruis van dat grote gezelschap, al stoorde het me dat er tijdens de maaltijden vaker Deens dan Engels werd gesproken. Ik vond het niet erg wellevend, maar ach, die jongens moesten ook tijdens het eten vaak nog een probleem oplossen. Dat ging nu eenmaal makkelijker in hun eigen taal. Over een paar dagen waren ze alweer vertrokken. Ik zou ze missen. Ik zag ertegen op weer dagen achtereen aan een vertaling te werken, werk dat me steeds makkelijker afging. Ik troostte me met de gedachte dat ik een deel van de crew zou terugzien, op de première in Kopenhagen of Málaga.

Het was de avond van de vierde draaidag. Lars had erop aangedrongen dat ik naar de *taberna* kwam. Er was een scène die hij met mij en Henning wilde bespreken. Er was weer regen voorspeld; de scène die voor morgenochtend gepland stond, was een exterieur, een van de laatste waarin de geoloog het meisje smeekt samen weg te gaan, voorgoed.

Of we die scène niet beter naar binnen konden verplaatsen, vroeg Lars zich af, 'als we de tekst hier en daar wat aanpassen? Wat vind jij?'

Ik las het script erop na. We bedachten een locatie om in geval van nood naar uit te wijken. 'Maar dan moet je de dialoog herschrijven.'

'Toch alleen de zinnen die naar het uitzicht verwijzen?'

'Je kunt een liefdesscène die zich van begin tot eind onder de blote hemel afspeelt toch niet ongestraft naar een

bedompte schaapskooi verplaatsen? Binnen of buiten...
Dat is toch meer dan een verandering van decor, dat ver-
andert toch alles?'

Lars pakte een servetje en krabbelde er een paar notities op. 'Kan zijn... misschien heb je gelijk.'

'Als ik met een man in het gras lig, praat ik anders, op
een andere toon, over andere dingen dan in bed met een
televisie aan het voeteneind.'

Henning leunde vermoeid achterover. Het leek wel alsof het hem irriteerde dat ik me ermee bemoeide. Misschien was hij zelfs jaloers dat Lars mijn mening liet
meewegen. Lars raadpleegde me zo vaak dat ik me al eens
had afgevraagd hoe hij het zonder mij redde, en in het
verleden gered had. Af en toe speelde ik met de gedachte
dat hij me bij een volgend project weer zou inschakelen.
In mijn fantasie reisde ik hem achterna, werkten we samen aan scripts, gingen we op zoek naar locaties, zat ik
naast hem tijdens audities. Het moest toch mogelijk zijn
dat iemand anders zolang de moestuin bijhield? Of de
olijfoogst binnenhaalde als ik toevallig in november elders met Lars aan het filmen was.

Welke vorm onze samenwerking ook aannam, ik zou
weer met Henning te maken krijgen. Ik wilde geen wig in
hun vriendschap drijven. Ik keek van de een naar de ander. 'Waar heb ik het eigenlijk over? Jullie hebben dit natuurlijk al zo vaak meegemaakt.'

Het lukte me niet Henning bij het gesprek te betrekken.
Of het nu over deze film ging, of over de vorige, of over
zijn werk als cameraman van andere regisseurs, altijd reageerde hij schichtig. Wie was zijn grote voorbeeld, zag
hij ertegen op in juni in de woestijn te filmen? Welke in-

valshoek ik ook zocht, hij reageerde alsof er een klem om zijn kaak zat. Aan een spelletje meedeed en geen ja en geen nee mocht zeggen.

Lars en ik brainstormden over een schaduwscène. Het was niet duidelijk wie wat bedacht, en dat gaf ook niet. Lars was gul met complimenten. Ik raakte steeds beter op dreef en zag ineens wat het probleem was van de scène, ongeacht waar die zich afspeelde.

'*Si voy contigo, me muero, si me quedo aquí, me muero también...* Als ik met je meega, sterf ik, als ik hier blijf, sterf ik ook.'

'Wat is daar mis mee?'

'Te nadrukkelijk, zou ik schrappen.'

Lars kwam met een alternatief, dat ik ook weer verwierp. Het ene voorstel na het andere werd overwogen, aangenomen en weer veranderd. We waren er nog lang niet uit toen Mariángela de *taberna* binnenkwam. Ze droeg een nieuw topje van glanzende stof, het lange haar hing los over haar blote schouders. Toen ik zo oud was als zij, moffelde ik mijn behabandjes weg met speciale veiligheidspeldjes met satijnen lintjes eraan die de bandjes op hun plaats moesten houden. Razend ingewikkeld, het lukte me nooit in één keer. Mariángela had geen enkele moeite gedaan haar beha aan het zicht te onttrekken. Dat hoefde tegenwoordig niet meer. Dit was mode. Tegen het eind van de zomer deed ik er waarschijnlijk ook aan mee, en toch ergerden die in het oog springende rode bandjes me mateloos.

Er was nog een stoel vrij en daar streek zij neer, naast Henning, tegenover mij. Van het ene op het andere moment was de werkbespreking afgelopen. Niet voor even om Mariángela te begroeten, nee, definitief. Alsof we zomaar wat of over het weer hadden geconverseerd, een praatje zonder gevolgen voor zinnen die over tientallen jaren nog zouden klinken in bioscopen, filmhuizen, huiskamers. Lars boog zich voor mij langs naar haar en begon over de kleur van haar ketting die zo prachtig paste bij haar lippen. Hij nam een kraal tussen duim en wijsvinger en bracht zijn gezicht nog dichter bij het hare.

'Lars, moesten wij niet nog iets afmaken?'

'Ja, zo... Straks... Na het eten.'

'Na het eten zijn we te moe.'

'O, wat ben je weer ijverig.'

Even vroeg ik me af of ik hem wel goed verstaan had, maar zelfs al had ik het verkeerd begrepen of had hij niet het juiste woord gebruikt, zijn houding liet niets te raden over. Henning bood aan nog een karaf wijn te halen aan de bar. Hij was nog niet opgestaan of Lars schoot overeind en pakte hem bij zijn elleboog: 'Even van plaats wisselen. Ik zie dat jij popelt om naast Lydia te zitten.'

Ik keek hem ijzig aan, maar Lars had het veel te druk met zijn stoelendans om het op te merken. Het servetje met aantekeningen dwarrelde op de vloer, en hij zag het niet. Zou ik het oppakken... Nee, waarom? Wat sloofde ik me uit. Wat was ik weer ijverig. En waarvoor? Er moest hoognodig gebabbeld worden, versierd, verleid. Ik stond op, griste mijn script van tafel en rolde het op, zo stijf dat als de punt scherper was geweest, ik het als dolk had kunnen gebruiken. Een ijspriem, die ik met liefde tussen zijn ribben had gestoken, maar in plaats daarvan gaf ik een machteloos tikje op de rugleuning van zijn stoel. Lars had nog altijd niets in de gaten. Mariángela glimlachte verbaasd naar me, waardoor ik het gevoel kreeg dat ik me aanstelde. Voor zij iets kon vragen, had ik de *taberna* verlaten.

Twaalf

Vanaf die avond hield ik meer afstand tot de productie. Veel vaker en langer dan nodig had ik op de set rondgehangen. Zodra er een paar kilometer verderop werd gefilmd, kwam er een soort koorts over me. Zoals vroeger op zaterdagavond wanneer er vanuit een tuin in de buurt geluiden van een feest – stemmen, gelach – mijn slaapkamerraam binnenwaaiden. Of die winter toen het vroor dat het kraakte en er iedere avond tot laat op de ijsbaan werd geschaatst op muziek die tot in de wijde omtrek te horen was. Van nu af aan zou ik alleen nog opdraven als Lars of iemand uit het dorp me echt nodig had.

Eén dag, langer hield ik het niet vol. Die ochtend zou er

in de kerk gefilmd worden, 's middags op het plein. Het hele dorp had zich als figurant opgegeven. Ik kon niet verstek laten gaan, ik moest er bij zijn. Al voor ik de Calle de Cementerio bereikte, hoorde ik de klokken luiden. Carlos speelde de rol van priester en heette me boven aan de trappen van de kerk welkom. Toen Mariángela mij zag, liet ze haar vaders arm los en snelde op me af.

'Dank je,' fluisterde ze.

'Waarvoor?'

'Dat jullie die scène herschreven hebben.'

'Werkte het?'

'Ik heb die lange zin, "*Si voy contigo, me muero...*", niet gezegd maar gedacht. Zoals jij had gezegd dat het moest... en toen viel alles op zijn plek.'

Ook Lars was zichtbaar opgelucht me te zien en vroeg of ik 'alsjeblieft, voor één keer' als figurant in de kerk wilde plaatsnemen. Ik kreeg een corsage opgespeld en op het laatste moment schoof ik in de achterste bank. Mónica had de kerk versierd met witte, gele en roze bloemen. Aan iedere bank langs het middenpad hing een tuiltje; in de vazen links en rechts van het altaar stonden boeketten in dezelfde kleuren. De hele kerk rook naar voorjaar.

Zong het koor beter dan anders? Misschien leek het alleen maar zo omdat er meer mensen luisterden. Bij een zondagse mis zaten er nooit meer dan dertig, veertig vrouwen in de kerk en slechts een enkele man. Nu zat de kerk vol. Alle koorleden hadden een zwarte flamencojurk aangetrokken en de haren opgestoken met een versierde kam waarover een kanten *mantilla* was gedrapeerd. Ik hou van die strenge haardracht, en van de strokenjurk met het strakke lijfje dat iedere vrouw dwingt rechtop te staan.

Lars koos weer precies het goede moment uit om te gaan draaien. Toen de zon door de hoge ramen naar binnen scheen en het middendeel van de kerk in een zacht licht zette, zei hij: 'Actie.' Misschien kwam het doordat we nog maar zelden een bruiloft vieren in Calderón, maar toen Mariángela aan de arm van haar vader het kerkje binnenliep, was iedereen ontroerd. Ik ook. Maar niet alleen door de aanblik van de bruid die met een zakdoek haar rechterooghoek depte. Ik dacht na over wat ze me zojuist had ingefluisterd. Over de geschrapte zin en hoeveel beter de scène daardoor was geworden. 'Alles viel op zijn plek.' Ik voelde me intens tevreden.

Ik kon, ik wilde haar rivale niet zijn. Die tijd was voorbij. Ik kon toch niet de rest van mijn leven in het dal van de eeuwige jeugd blijven hangen? Ik was deze week een soort vroedvrouw geworden, iemand die zich met opgestroopte mouwen in het zweet werkt om anderen de ruimte te geven.

Mariángela speelde haar rol overtuigend. En dat niet alleen: ze gedroeg zich professioneel. Het loopje, het knielen naast Per voor het altaar, haar jawoord... Ieder shot stond er in één keer op. Of ze nu wel of niet een verhouding met Lars had, wist ik niet. Ik wilde het ook niet weten, wat ging het me aan. Het kon me alleen niet ontgaan dat ze erin slaagde geloofwaardig verliefd naar Per te kijken. Vol overgave kuste ze hem op de lippen. Ik glimlachte. Nu, die was over haar schroom heen. En misschien werd ze geholpen door de witte bruidsjurk, die Cinetotale had geleend van een winkel in Torremolinos in ruil voor een vermelding op de titelrol.

Uitgelaten verlieten we de kerk. Iedereen hielp mee de

volgende scène voor te bereiden. Er werden tafels neer-gezet, stoelen aangesleept. Al sinds gisterochtend waren de vrouwen van Calderón aan het bakken en braden, het water liep je in de mond. Uit ieder huis kwam een andere geur, en je moest sterk in je schoenen staan wilde je daar weerstand aan bieden. Niemand had de uitnodiging voor de maaltijd afgeslagen, ook Loreta niet. Als eerste zette ze zich aan tafel. Ze had een strooien hoed op zo groot als een wagenwiel, die door haar overbuurvrouw ver-sierd was met handenvol margrieten en korenbloemen. Ik hoopte dat Henning er straks op in zou zoomen.

Er kwamen schalen met vis op tafel en wel vijf verschil-lende soorten groenten en salades. De voorbereidingen namen meer tijd in beslag dan de opnames. Bruidspaar en figuranten hoefden in deze sequenties alleen maar te eten, te drinken, van elkaars gezelschap te genieten, de schalen door te geven, nog weer een fles te ontkurken. Zo nu en dan werd er gedanst op muziek die Carlos, in een dubbelrol met aanplaksnor, en Elisa voor ons speel-den.

Lars had amper aanwijzingen gegeven. Als er maar niemand in de lens keek, gekke bekken trok of een al te abrupte beweging maakte, was het goed. Na iedere *take* zei hij dat het goed was. Voor sommigen van ons was het jaren geleden dat we voor het laatst waren geprezen. Om hoe we zongen, dansten. Geprezen dat we ons zoveel moeite getroost hadden om er mooi uit te zien en lekker te koken. Binnen een halfuur zat de film in het blik en kon de crew aanschuiven.

Het liep tegen drieën toen de streekbus uit Torremolinos het dorp binnenreed. Tot mijn verbazing stapte er iemand uit. Iemand uit het dorp kon het niet zijn. Op deze hoogtijdag waren alle bewoners in Calderón gebleven. De tengere vreemdeling werd ondanks zijn zonnebril onmiddellijk door de Denen herkend. Henning stootte Lars aan, die zich in zijn wijn verslikte, en even later was de hele crew in rep en roer. De Spanjaarden feestten onverstoorbaar door.

Johan, hoorde ik iemand zeggen. Dit was hem dan, de man die kantoor hield in Torremolinos. Ik had me al eerder afgevraagd waarom hij zijn gezicht nooit op de set liet zien, maar nu was hij er, eindelijk. Lars sprong op en beende naar hem toe.

'Is Johan de financiële man?' vroeg ik aan Hennings assistent. 'Degene die over het geld gaat?'

Hij schoot in de lach, herhaalde mijn vraag voor Karl, die ook al begon te grinniken. Maar toen ik op een antwoord aandrong, knikte hij. Allerlei mogelijkheden spookten door mijn hoofd. Lars had het budget overschreden. Een van de financiers van het project had zich plotseling teruggetrokken. Ik vond het alleen wel vreemd dat Johan zo jong was, onwaarschijnlijk jong voor een man die het budget beheerde van een internationale speelfilm. Of lag het aan mij: ook ministers zijn tegenwoordig jonger dan ik, en ze zien er ook anders uit dan vroeger. Toch kon ik een glimlach niet onderdrukken toen Johan dichterbij kwam. In zijn korte broek, T-shirt en een katoenen tasje van een natuurwinkel om zijn schouder zag hij eruit als een scholier die voor het eerst zonder ouders op vakantie was.

Er werd een stoel bijgeschoven. Niemand van de Spanjaarden kreeg de kans met Johan kennis te maken, de Denen legden volledig beslag op hem. Van twee kanten werd hij bediend. Het grootste stuk van de bruidstaart was voor hem en hij liet het zich goed smaken. Telkens kwam er iemand van de crew zijn opwachting bij hem maken. Soms werd er hard gelachen, zelfs door Johan. Toch leek hij niet op zijn gemak.

Toen Johan na de koffie opstond en zich uitrekte, veerde ook Lars op. Johan maakte een gebaar dat het hele dorp en de heuvels in de verte tot aan de Sierra Nevada omvatte, maar Lars en Henning lieten hem niet gaan. Als trouwe adjudanten weken ze geen seconde van zijn zijde.

Het was een warme dag en de meeste Spanjaarden waren voor de siësta naar huis gesloft. De geur van de sinaasappelbloesem hing als een zwaar parfum over het plein. Op een verliefd stelletje na was iedereen aan één tafel gaan zitten. Iemand tokkelde landerig op Carlos' gitaar. Terwijl ik een korst brood in een restje olijfolie doopte, praatte ik wat met Elisa. Nu ik niets meer te verbergen had, voelde ik niet langer de noodzaak haar te ontlopen maar ook niet om haar iets op te biechten. Onze vriendschap hoeft niet telkens gevoed te worden met bekentenissen. Ik vertelde haar hoe opwindend ik het werken aan het script had gevonden, en dat ik het zou missen. Het werk. De film.

Toen Lars, Henning en Johan terugkwamen van hun rondje door het dorp, verwachtte ik dat ze zich bij ons zouden voegen. Maar ze liepen rechtstreeks naar de techniekwagen die voor Hotel Duivenpoep stond. Henning maakte het achterportier open en haalde er een filmblik uit. Zonder afscheid van de rest van de crew te nemen staken ze het plein over. Grappig, dacht ik nog, dat de man die over het budget gaat met de bus gekomen is en niet met een taxi. Ik keek op mijn horloge: maar er ging vanmiddag helemaal geen bus meer naar de kust. Ze liepen naar de auto van Lars. Wilde Lars hem soms zelf terugbrengen? Ik klemde mijn lippen op elkaar: niet mee bemoeien. Lars wist hoe ver het rijden was en kon zelf ook wel bedenken dat hij dan nooit op tijd terug was voor de badscène.

Lars gaf Johan zijn autosleutels. Henning overhandigde hem het filmblik, waarop Lars het portier voor Johan openhield terwijl zijn andere hand op diens schouder rustte. Het leek wel een toneelstukje of een scène uit een stomme film, waarvan de betekenis de toeschouwers op het plein beslist niet mocht ontgaan. Zonder iets te zeggen legde Johan het blik op de achterbank, stapte in en reed weg. Wel zo efficiënt, dacht ik, als hij de filmrol niet had meegenomen, had een van de jongens er vanavond speciaal voor naar het laboratorium in Málaga moeten rijden. Eindeloos bleek mijn vermogen om het ongerijmde gedrag van de Denen zo te interpreteren dat het klopte met wat ik wilde geloven.

Dertien

Nog geen halfuur nadat Johan luid claxonnerend het doezelende Calderón uitgereden was, deed ik mijn vondst. Elisa en ik hadden ieder een fles gevuld bij de bron, even buiten het dorp. De straal was niet zo krachtig als ik had verwacht na de regen van de laatste dagen. Ik wilde zien hoeveel water er door de rivierbedding stroomde. Ik zei Elisa gedag en sloeg het geitenpaadje in naar de rivier.

Vlak bij een bamboebosje streken een paar nijlreigers neer. Ik bleef even staan. Ze hadden zoiets geheimzinnigs, die ranke witte vogels uit Egypte... Egypte, daar vloog de crew binnenkort heen. Toen was er iets anders dat mijn aandacht trok: iets metaligs dat glinsterde in de zon. Ik sprong over de greppel die vol lag met lege flessen, blikjes, plastic zakken. De reigers vlogen geschrokken weg.

Het glimmende ding dat ik van dichtbij wilde bekijken, zag er niet oud uit, niet als iets dat was weggegooid. Even zag ik het aan voor een wieldop, maar dichterbij gekomen herkende ik in de ronde vorm het filmblik. In een flits zag ik voor me hoe het portier van Lars' auto in een bocht was opengeschoten, het blik eruit vloog... Ik dacht geen seconde aan sabotage. Waarom zou ik? Wat een geluk dat ik hier liep, juist nu. Ik kon een gevoel van triomf niet onderdrukken, zag de aftiteling al voor me waarin Lars me nog eens apart bedankte: 'With special thanks to...'

Pas toen ik me bukte om het blik op te rapen, zag ik het: het zwarte gaffertape om het deksel was losgeschoten. Het deksel was aan één kant opgewipt. Het geopende blik lag in de volle zon. Het kon niet anders of het materiaal was belicht, onbruikbaar, en dat niet alleen, er was wat aarde in het blik terechtgekomen. Al het werk voor niets... Ik pakte het blik op. Voorzichtig veegde ik met een vinger de aarde weg, tastte naar de filmrol, haalde mijn hand door het blik... Aarde, niets dan gele Andalusische aarde.

Ik weet niet hoe lang ik daar heb gezeten, langs de kant van de weg met het blik in mijn schoot. Ik staarde naar de heuvels in de verte, krabde het etiket van het deksel. *El Valle Olvidado* stond erop geschreven, met zwart viltstift, en de datum en het nummer van de rol. Ik bracht het blik naar mijn gezicht. Het rook naar droge grond, en naar aluminium verwarmd door de zon. Ik rook de lijmresten die het tape op het blik had achtergelaten. Die geuren waren echt, de geuren wel.

Een briesje deed het bamboe ruisen. In de verte riep Karl iets door de megafoon. Heel even veerde ik op. Ik betrapte mezelf erop dat ik dacht: hoogste tijd, siësta voorbij. Acteurs, figuranten verzamelen op de set. Scène achttien, exterieur badhuis. Het kostte me moeite om te schakelen. Te beseffen: de megafoon is echt, de opnameleider niet. Er worden geen opnames gemaakt, we worden misleid. *Take, shot, shooting, pan...* sirenenzang waaraan niemand weerstand bieden kan.

Ik klemde mijn handen om de rand van het blik, het aluminium sneed in mijn palmen. Weg bij die camera... weg bij de bus... Er staat daar voor tonnen aan apparatuur... Maak je geen zorgen... Dat komt goed... In de montage ontdek ik pas wat ik wérkelijk wil vertellen... In beeld werkt het heel anders. Op een groot scherm zie je dat niet...

Mijn voorstellen, mijn adviezen die de scène volgens Lars 'op een heel ander niveau' tilden. Al die woorden die nodig waren geweest om hem te doen begrijpen waar het in een scène om ging. Verspilde moeite. De euforie die ik had gevoeld, nog maar een paar uur geleden, toen ik te horen kreeg dat iets dat ik had bedacht, bleek te werken. Heel even had ik zelfs spijt gehad dat ik niet toch naar die opname was gaan kijken, maar ik had me getroost met de gedachte dat mijn geduld beloond zou worden. Volgend jaar, als we de film te zien kregen. Ik had familie en vrienden er al over geschreven. Iedereen was zo trots en opgewonden. Een film, en onze Lydia werkt eraan mee! Wat trek je aan op de première, Lydia? Wat aarde in een blik, meer was het niet en meer zou het niet worden. Ik kantelde het blik en liet het leeglopen.

Terwijl ik met het filmblik in mijn rugzak het dorp binnenliep, bedacht ik wat ik ging zeggen. Tijdens de eerste pauze, nee dwars door de opname zou ik naar de wagen van de techniek lopen en de deuren van de achterkant wijd opengooien. Zien jullie het? Ja, kijk maar goed. Ongelovige blikken. Dan zou ik Henning vragen de cassette van zijn camera te openen. Het kon me niets schelen wat er daarna gebeurde. Dat de figuranten zich op Lars stortten, de techniekwagen omverduwden, Lars en zijn mannen met stokken en hooivorken het dorp uitjoegen, terug naar de kust.

Al voor ik bij het bad was, hoorde ik het geborrel van het water, gespetter. Ik rook de weeë lucht van de zwavel die zich vermengde met de geur van de bloesem van de citrusbomen langs de weg. Mónica en haar twee schoonzusters, net als zij al jaren bij het koor, kwamen aangelopen, een badjas en handdoek over de arm.

'Als de opnames klaar zijn, gaan wij zelf ook even. Lekker weken.'

'Moet jij niet meespelen, Lydia? Als iemand zich nog in badpak kan vertonen, ben jij het wel.' Niet alleen als ze zongen, ook als ze spraken, openden ze hun mond tegelijkertijd. Net kwetterende jonge vogels: 'Ja, zij wel. Mij niet gezien. Voor de camera, in badpak... Geen haar op mijn hoofd. Ik ook niet, na de bevalling van de tweeling.

Ja, geef de tweeling maar weer de schuld. Veertig jaar koekjes zal je bedoelen. Maar Lydia hoeft zich nergens voor te schamen. Waarom speel jij nou niet mee? Flauw hoor.'

'Ik kijk liever.'

'Jammer, hè, dat ze overmorgen alweer weg zijn, de jongens uit het hoge noorden.'

'Ja, jammer.'

Al pratend gingen ze door het hek naar binnen. Ik bleef staan en keek ze na. Ik stond daar nog steeds, tegen de muur van het zwavelbad geleund, toen Mariángela naar buiten kwam, in bikini met een pareo om haar heupen. Ze merkte me niet op. Terwijl ze in de schaduw van de muur over het trottoir heen en weer liep, repeteerde ze haar tekst. Ik had die zinnen al zo vaak onder ogen gehad dat ik haar woord voor woord had kunnen souffleren.

'Mariángela?' klonk het vanaf het terras van het zwavelbad.

Ze draaide zich om en knikte afwezig. In haar blik lag iets ernstigs, vastberadens. Ik hoefde niet bang te zijn dat ik iets verstoorde, ze zag me amper. Ze was aan het werk. Ze concentreerde zich op de laatst gedraaide scènes om de volgende beter te kunnen spelen. Een streep trekken, noemde ze dat, had ze me tijdens het middagmaal verteld. De jongen aan wie zij vanochtend in de kerk haar jawoord had gegeven, was niet echt haar man. Ze vond hem aardig, maar zou voor hem nooit huis en haard achterlaten, laat staan haar leven geven om een paar minuten langer bij hem te kunnen zijn. Toch stond ze op het punt ons dat te doen geloven.

'Mariángela, we gaan beginnen,' klonk het aan de andere kant van de muur.

Ze haastte zich naar binnen. Ik volgde haar niet.

'Stilte,' riep Lars even later.

'Camera?'

'Loopt.'

'Geluid?'

'Loopt.'

'Actie.'

Ik hoefde er niet bij te zijn om te weten wat zich in het zwavelbad afspeelde. De camera liep en het geluid liep en soms liep er nog vlug-vlug een jongen naar Mariángela toe, om met een poederkwast langs haar neus te strijken.

Ik kon het niet. Ik kon me er niet toe zetten naar binnen te gaan, de entree door, de halfronde trap af naar het terras. Het terras oversteken, tot aan de rand van het dampende zwavelbad en zeggen... Het zeggen. Zeggen dat het allemaal bedrog was.

Veertien

Nog diezelfde avond kwam Lars me in het dal opzoeken. Al van verre zag ik het schijnsel van zijn zaklantaarn, een steeds dikker wordend vuurvliegje. Waarom ik vanmiddag niet bij de opnames was geweest, vroeg hij. Toen ik niet meteen antwoordde, bukte hij zich en haalde zijn hand door een lavendelstruik. Hij boog zich naar me toe, maar in plaats van me een zoen te geven hield hij zijn geurige handpalm vlak voor mijn gezicht. Het leek op het bezwerende gebaar van een priester. Ik duwde zijn arm weg en knikte naar de smalle houten tafel achter me, waarop tussen wat lege bloempotten en tuingereedschap het filmblik lag.

'Hoe kom jij daaraan? Waar is de film... wat is er met het materiaal gebeurd?' vroeg hij met een dun stemmetje. Nu ik wist dat hij loog, maakte hij op slag zo'n armoedige indruk. Hij spartelde nog wat, probeerde te redden wat er te redden viel: waarom had Johan hem niet gebeld... Of anders de mensen van het lab in Málaga? Dit was een misverstand, dit kon het originele blik niet zijn. Mogelijk waren ze verwisseld.

Als het niet zo pijnlijk was, had ik erom kunnen lachen. Net een man die, terwijl je hem betrapt in een omhelzing met een vrouw, roept dat zij door een wesp is gestoken in haar onderlip en dat hij alleen maar bezig is het gif eruit te zuigen.

'Hou je mond, Lars, alsjeblieft. Bespaar je de moeite.'

'Je gelooft me niet?'

'Nee.'

Hij slaakte een zucht, snoof, wreef met twee handen over zijn gezicht, alsof hij de schmink eraf waste.

'Hoe lang weet je het al?'

'Sinds vanmiddag.'

Hij ging tegenover me aan de tuintafel zitten.

'Die rekeningen, die betaal ik. Dat beloof ik.'

In mijn verwarring had ik daar nog niet eens aan gedacht.

'Klets niet. Hoe kún je dat nou beloven?'

'En? Wat nu? Wat ben je van plan? Ga je me opsluiten? De politie bellen?'

'Jij gaat de film afmaken, dat is wat jij gaat doen.'

Zijn ogen werden groot van verbazing, en nog lichter dan ze al waren door de weerkaatsing van het marmeren tafelblad. Ogen van glas. Met zijn halflange haar, de scheiding in het midden, had hij wel iets weg van de Christus in onze dorpskerk, met blond in plaats van donker haar, en blauwe in plaats van bruine ogen. Maar zo veel emoties als ik in de glazen ogen van het beeld kon leggen, zo moeilijk was het te raden wat er in Lars omging.

'Je hebt geen keus,' zei ik. 'Je moet die laatste scène draaien. Daarna zien we wel weer... Heb je eigenlijk wel eens een film gemaakt, een echte bedoel ik.'

'Nog nooit.'

Hij bracht zijn hand naar zijn mond en krabde aan zijn neus, maar kon niet verbergen dat hij grijnsde.

'Nog één dag, dan mag je weg. Alleen die scène nog dat Per en Mariángela het dal verlaten. Daarna kun je je koffers pakken. Jij maakt de film af en ik hou mijn mond.'

Er viel een stilte. Hij staarde me verbijsterd aan. Een jongen op de rand van zijn bed, net ontwaakt uit een droom waarin hij kon vliegen.

'Dat breng ik niet op.'

'Je doet je best maar.'

'Waar haal ik het vandaan? Als ik er zelf niet meer in geloof? Ik zal me spiernaakt voelen bij elke aanwijzing die ik geef.'

'Denk er maar aan hoe het in Calderón was toen je hier voor het eerst kwam. Hoe de huizen eruitzagen, hoe de mensen keken. Je mag ze nu niet in de steek laten.'

Hij tuurde in de verte. In het licht van de maan tekenden de contouren van de bomen zich scherp af. Toen Ian en ik dit huis kochten, stond er geen enkele boom. De boeren in de omgeving verklaarden ons voor gek. In dat dal wil niks groeien, beweerden ze. De olijfbomen, de

avocado, de jacaranda met haar paarse bloemen, de vij-
gen-, de bananenboom met het grote slonzige blad... Ian
had ze stuk voor stuk hierheen gebracht, op een ezelkar.
Hij had de stenige aarde omgespit, de bomen geplant, ge-
stut, begoten. Met zorg omringd, jaar in jaar uit. Als het
al te lang droog was geweest, gaf hij ze water, vaak meer-
dere malen per dag. Nu deed ik dat. Dat moest. Dat had ik
Ian beloofd. Als een plant door mijn nalatigheid stierf,
voelde ik me schuldig.

Hij had de ene hartstocht opgegeven voor de andere.
Uit vrije wil. Het was een keuze, beweerde hij altijd heel
stellig. Of een vlucht, vroeg ik me nu af. Wilde hij iets
vóór zijn, het moment voor zijn dat voor iedereen aan-
breekt, onherroepelijk, het moment dat hij onder ogen
zou moeten zien dat hij niet meer zo vaak gevraagd werd.
Niet langer een naam was. Anderen hadden zijn plaats
ingenomen.

Ik keek opzij, naar Lars, en dacht aan onze eerste ontmoeting in het dal... klik... klik.

'Waarom maak jij eigenlijk geen films? Als je mensen
zo kunt inspireren... Mij, het hele dorp. Als je zoveel talent hebt... Waarom doe je daar dan niets mee?'

Lars legde zijn hoofd in zijn nek. Het was een heldere
inktzwarte nacht. Wie voelt zich soms niet duizelig worden bij de aanblik van die fonkelende sterrenzee? Nietig,
deemoedig, onwetend. Lars zat als verlamd in zijn stoel.
Hij keek naar boven alsof daar een diep zwart water was
en ik hem vroeg erin te springen.

'Je durft niet? Je bent bang... Je aan één ding wijden...
Zo noemde je het toch? Je bent bang voor de overgave die
dat vraagt.'

Toen ik zijn blik zocht, sloot hij zijn ogen.

'En bang dat ze het niet mooi vinden wat je maakt... Je uitlachen...?'

Hij zweeg. Ik herhaalde mijn vragen niet. Waarom zou ik hem nog langer kwellen?

We bleven nog een poosje op de veranda zitten. Bij stukjes en beetjes vertelde hij over zijn leven in Kopenhagen. Over zijn werk en het huis dat hij met de jongens deelde. Toen het killer werd, leende ik hem een trui, pas veel later trokken we ons terug in de keuken. Ik maakte de kachel aan met twee stronken olijfhout. We schoven onze stoelen dicht bij het vuur.

'Je kunt zeggen wat je wilt maar we hebben goed samengewerkt,' zei hij. 'Je hebt er gevoel voor. Jij ook.'

Hij had gelijk. Door mijn vertaalwerk heb ik geleerd niet te rusten tot er precies op papier staat wat er moet staan. Niet te denken: het is wel goed, terwijl er nog iets wringt. Met die ervaring had ik me op zijn flinterdunne script gestort. Het was waar wat hij zei, en dat hij het nú zei, maakte het nog waarder. Zoals al het aardigs dat een man tegen je zegt nadat hij het heeft uitgemaakt, ook makkelijker te geloven is dan alle foezelwoordjes van toen er nog iets op het spel stond. De wijn en de vlammen maakten me overmoedig, begerig. Ik geloof dat ik werkelijk dacht dat een man die zoveel maskers had laten vallen, mij geen ontgoocheling meer kon bezorgen. Eerst raakten alleen onze knieën elkaar, toen onze handen, onze lippen.

'Zal ik blijven?'

Tot het laatste moment had ik niet geweten wat ik zou

antwoorden, maar nu knikte ik. Lars gaf me een zoen in het kuiltje van mijn sleutelbeen en verdween naar de badkamer. Ik sloot af en zette de glazen op het aanrecht.

De badkamerdeur klemt, al jaren. De onderkant van de deur schuurt over de tegels van de gang, en in het oranje steen zit een grijze slijtplek. Het duurde even tot het me opviel dat ik de deur nog niet had horen open- of dichtgaan. Dat de wc niet werd doorgetrokken, er geen water begon te stromen.

Wat deed hij toch?

Waar bleef hij nu?

Ik stond nog steeds bij het aanrecht voor het raam, te wachten tot hij achter me kwam staan, zijn lichaam tegen me aan drukte, zijn hoofd in mijn hals legde. Ik stelde me voor hoe we daar nog even zouden blijven staan, starend naar het ineengestrengelde paar in het raam voor ik hem, of hij mij, naar de slaapkamer loodste.

'Lars?'

Net toen ik me ongerust begon te maken, er een duistere flits door mijn hoofd schoot – ik Lars voor me zag, hangend aan een touw, maar waarom dan, was hij zó bang, zo wanhopig, zo levensmoe? – hoorde ik zijn voetstappen. Hij kwam de keuken binnen, had iets in zijn hand. In de weerkaatsing van het raam zag ik het aan voor een platenhoes. Hij had op zijn knieën bij mijn platenverzameling gezeten en plaat voor plaat door zijn handen laten gaan. Wat wilde hij me laten horen? Bij welke muziek zou ik op een dag, over een paar maanden, terugdenken aan deze nacht, aan onze gesprekken, aan de geur van zijn lichaam. Opgelucht draaide ik me om.

En zag het meteen: hij had de foto in zijn hand. Als een trofee hief hij hem in de lucht. Hij had hem van de kastdeur gehaald, die foto van mij in badjas, leunend tegen een Dorische zuil bij het zwavelbad. Een twintig jaar, nee vijfentwintig jaar oude foto, genomen door Ian. Het was er een van een reeks, een reportage over Andalusië. Toen Ian nog leefde, hing die zwart-witfoto in de kamer. Later, toen hij ziek werd, in onze slaapkamer zodat hij er vanuit ons bed naar kon kijken. Na zijn dood had ik de foto in de gang gehangen op de zijkant van de kast met winterkleren, waar niemand hem ooit opmerkte. Er is daar geen raam, zelfs met het licht aan is het er schemerdonker.

Ik had kunnen voorspellen wat Lars ging zeggen door de manier waarop hij naar de foto keek. Hij liep ermee tot vlak onder de lamp en terwijl zijn blik erop rustte, verzuchtte hij: 'Wat was je mooi...'

Onafgebroken keek hij naar de vrouw in haar witte badjas. Hoe langer hij keek, des te overbodiger ik me voelde. Meer nog dan die keer met Mariángela in het repetitielokaal. Erger dan die avond in de *taberna*. Ik kon ermee leven dat Lars zo keek naar Mariángela en haar vriendinnen. Het was niet meer dan logisch, een wrede natuurwet dat een man zo reageerde op een jonge, vruchtbare vrouw, zolang ik die vrouw maar niet zelf was.

'Ga maar,' zei ik. 'Ik heb me bedacht.'

Aan zijn glimlach zag ik dat hij dacht ik een grapje maakte. Hij legde de foto op de keukentafel.

'Zomaar, ineens?'

'Ja, zomaar.'

Ik kon het hem niet uitleggen. Hij zou het niet begrijpen, of, erger nog, tegensputteren. Ik wilde niet dat hij heel hoffelijk zou zeggen dat ik nog steeds mooi was. Of zo'n interessante kop had gekregen, en veel meer charisma dan vroeger. Ik pakte de foto van tafel en legde hem op een kast.

Toen Lars weg was, ben ik niet meteen naar bed gegaan. Op het moment dat zijn gestalte in het donker oploste en ik zijn voetstappen niet meer hoorde, voelde ik al spijt. Ik hoopte dat hij terug zou komen. Kwaad werd. Zou zeggen dat de vrouw op de foto inderdaad heel aantrekkelijk was, maar niet degene met wie hij een avond lang had gepraat. Die hem vragen had gesteld die hem nooit eerder gesteld waren en met wie hij nu, hier, wilde vrijen.

Maar Lars kwam niet terug en de spijt pakte me, ruw, tussen mijn benen. Daar beet het zich vast: verlangen, naar een mannenhand. Naar zijn vingers die zich in mijn schaambeen klauwden. Zijn pols tegen mijn stuitje, zijn warme handpalm tegen mijn schaamlippen. Waarom had hij niet aangedrongen? Niet wat meer moeite gedaan om me te verleiden?

Haastig kleedde ik me uit, mijn kleren gooide ik op de vloer. Naakt ging ik voor de spiegel staan: er is van alles op mijn lichaam aan te merken, o ja, vast wel, maar het laat me zelden in de steek. Alles doet het nog. Voor zover ik weet, ben ik niet ziek, ik ga niet dood, ik niet, nog niet... Terwijl ik naar mezelf bleef kijken, liet ik me op de rand van het bed zakken en spreidde mijn benen. Mooie benen, had hij al een paar keer gezegd, en als hij het niet zei, zag ik het aan zijn blik.

Ik stelde me voor dat Lars achter me kwam zitten, zijn

benen om mijn benen vlijde, en over mijn schouder naar me keek in de spiegel. Ik stelde me voor dat mijn hand zíjn hand was, zijn hand met de haartjes op de pols die door de zon steeds lichter waren geworden, bijna wit. De hand wist precies waar me te strelen, wanneer zijn wijsvinger naar binnen mocht. Hoe diep en waar me te beroeren en de hele tijd dwong Lars me naar mezelf te kijken.

Lars, zoals ik wilde dat hij was. Iemand die eisen stelde, aan zichzelf en aan mij. Hij dwong me onder ogen te zien wie daar zat. Wat die vrouw wilde. Hier blijven, in het vergeten dal, tot de dood je komt halen? Is dat werkelijk wat je wilt? Ians bomen water geven en zelf verdorren?

Je bent begin vijftig en je kunt wel vijfentachtig, negentig worden... Ik sloot mijn ogen. Ik wist niet of ik huiverde van genot of van angst. Of wakkerde de woede het genot aan? Ik zag haar voor me, Lydia over ruim dertig jaar: een naakt, verschrompeld, kromgegroeid vrouwtje met wijd uitstaand wit haar. Verdwaasd zat ze te masturberen.

Er zat niemand achter haar, niemands benen omklemden de hare. Niemand kuste haar in haar hals. Niemand beet in haar gerimpelde oorlelletje. Haar oude borsten hingen, en niemand die ze in zijn handen nam, even optilde en vrolijk tegen elkaar drukte, lieve oude borstjes van me... Niemand hoorde haar kreunen. Ze was alleen. Ze kwam alleen klaar en ze zou alleen sterven.

Vijftien

De volgende dag ben ik thuisgebleven. Lars kon de schijn beter ophouden als ik hem niet gadesloeg. Hij was zo kies niet bij mij voor de deur te gaan filmen. Maar al had hij het gedaan, het maakte niets meer uit. Ik had mijn beslissing al genomen. De hele nacht had ik erover liggen malen, en toen ik wakker werd wist ik wat ik moest doen.

Ik heb gehoord dat hij de slotscène wel heeft gedraaid, in het amandeldal, maar nooit is komen opdagen bij het afscheidsmaal in de *taberna*. De jongens schijnen hun regisseur uitgebreid verontschuldigd te hebben: er was een meeting belegd in Torremolinos waarbij zijn aanwezigheid dringend gewenst was. De figuranten vonden het jammer maar ontdaan waren ze niet. Dit overhaaste vertrek paste helemaal bij het romantische beeld dat ze hadden van een regisseur die altijd onderweg was. Van een genie dat zich onvoorspelbaar gedroeg, een kunstenaar. Karl had beloofd dat *el director* terug zou komen als de film af was, met een kopie: Calderón kreeg zijn eigen première.

Ook ik ben niet naar de wrapparty gegaan. Er was te veel waarover ik wilde nadenken. Daarbij was ik er niet zeker van of ik het spel tot het eind toe mee kon spelen. Wat voor gezicht moest ik trekken als er voor de zoveelste keer op de film getoost werd, op de film, op onze film?

In de eerste maanden na hun vertrek vroeg Bernardo mij regelmatig of ik al iets gehoord had. De rekening die hij had meegegeven, was nog steeds niet betaald en die van zijn zwager ook niet. De aanmaning die hij na een week of zes had gestuurd, kreeg hij terug met een stempel: Geadresseerde onbekend. Bernardo vroeg zich af of ik een privé-adres had van Lars. Wist ik soms of Cinetotale was verhuisd, en waarheen? Als Lars of de film ter sprake kwam, hield ik me op de vlakte. Ik zei iets over opnames, elders in de wereld. Tegen de tijd dat de film uitkwam, zouden ze zeker van zich laten horen.

Nu, bijna een jaar later, vraagt Bernardo steeds minder vaak en minder dwingend naar Lars. Het kan zijn dat hij denkt dat Cinetotale failliet is en liever zijn tong afbijt dan toegeeft dat hij belazerd is. Of schaamt hij zich dat hij mij, ons in dit avontuur heeft meegesleept?

Het moet in juni of juli geweest zijn – de oleanders

naast het terras aan de andere kant van het huis bloeiden al – toen ik de agenda van Lars in handen kreeg. Een kamermeisje dat Bernardo voor de week van de opnames had aangenomen, kwam hem brengen. Ze had hem in de kamer van Lars gevonden, aan het hoofdeinde, onder zijn bed. Daags na zijn vertrek al.

'Je wilde hem houden, als aandenken aan de film?'

Clarita kreeg een vuurrood hoofd. 'Als aandenken aan *el director*. Misschien heb jij er iets aan. Ik kan er toch geen wijs uit.'

Was het Clarita die zijn kamer binnenglipte toen hij juist begon te schrijven. *Ik kom net bij Lydia vandaan...* Dat is de laatste aantekening die hij heeft gemaakt. Ik heb de agenda in ontvangst genomen en verder geen vragen gesteld. Nog diezelfde dag heb ik een Deens-Spaans woordenboek besteld.

Maandag 17 april, eerste draaidag

Toen ik uitkeek over de boomgaard met de figuranten die citroenen plukten, toen ik daar stond als de grote regisseur, voelde ik me ineens heel klein. Een iel, klein mannetje. Het kwam niet alleen door wat ik niet geworden ben. Niet door gemiste of slecht benutte kansen. Maar omdat me iets duidelijk werd. Achter de bar doe ik meestal maar alsof ik luister, ik knik terwijl mijn blik alweer afdwaalt. Nu gebeurde er iets anders. Nu zag ik mensen voor mijn ogen opbloeien. Niet alleen waren ze op hun mooist naar de set gekomen, het leek ook wel alsof het beste in hen bovenkwam. Door mij. Door de aandacht die ik ze gaf. Zo eenvoudig is het.

Woensdag 19 april, derde draaidag
Zo eenvoudig is het en zo moeilijk. Hoe houd ik dat vol
zonder camera? Zonder de status van een beroep. Zonder
de glamour van het filmen.

Lars kan deze gedachten niet meer overlezen, hopelijk
heeft hij een goed geheugen. Ik weet niet of hij nog wel
eens terugdenkt aan wat er hier met hem is gebeurd.
Heeft het hem veranderd? En voor hoe lang? 'Hoe houd
ik dat vol' schrijft hij.

Ik heb zijn aantekeningen woord voor woord vertaald.
Soms was het me vreemd te moede: de pompeuze getal-
len, met rood viltstift in de kantlijn genoteerd, de fake afspraken in dure hotels in Kopenhagen, over het hele ka-
lenderjaar verspreid. En achterin – tussen de schetsjes
van een gevel, een brug, een boom – zijn bekentenissen,
in potlood.

Lars heeft Calderón veranderd of, laat ik het zo zeggen:
dankzij Lars is er in ons dorp veel veranderd. Eerst dacht
ik dat het toeval was: in de maanden na het vertrek van de
Denen dook er zo nu en dan een toerist op. Scandinavi-
ers meestal, eerst een paar, hooguit twee, drie per week,
maar het werden er meer en meer. Ze bekeken het dorp,
aten wat op het terras van de *taberna* en vertrokken weer.
Steeds vaker bleven ze ook overnachten, om de volgende
dag nog een wandeling te maken of zich uit te strekken in
het zwavelbad.

Ik heb wel eens terloops geïnformeerd wat hen hierheen heeft gebracht. Een gerucht dat hier een film is gemaakt misschien? Nee, dat was het niet. Via via hebben
de Scandinaviërs over ons dorp gehoord, horen zeggen

dat het hier erg mooi moet zijn en ouderwets gastvrij. In het hoge noorden is Calderón een geheimtip. Hotel Duivenpoep heet nu weer Gran Hotel El Mundo, de bedden van Hotel Mimosa zijn niet elke dag bezet maar wel altijd opgemaakt met schone lakens en slopen die naar lavendel ruiken. Want je weet maar nooit... Het zijn geen zwermen toeristen die ons dorp bezoeken, maar genoeg, net genoeg om de moed niet te verliezen.

★ ★ ★

Dankzij de geboorte van drie opmerkelijk blonde baby's afgelopen december heeft Carlos weer hoop dat zijn school haar deuren niet hoeft te sluiten. Hij is er zeker van dat de komst van de Denen een gunstige invloed heeft gehad op het humeur van het water. Niet alleen van het zwavelbad maar ook van het drinkwater en het leidingwater van Calderón. Het verbaast hem dan ook niet dat de toeristen ons dorp weer weten te vinden.

Mónica houdt nu bijna iedere week een rondleiding in de kerk. Ik heb haar een paar zinnen Engels geleerd en ze redt zich aardig. Ze heeft er alle vertrouwen in dat Calderón binnen een paar jaar weer een bloeiende broederschap heeft en de *Semana Santa* weer kan vieren, met alles erop en eraan. Dan kan Jezus eindelijk weer naar buiten, de straat op, onder de mensen. En als hij op zijn *trono,* gedragen door twaalf mannen, de hoek om komt bij het zwavelbad en de voorjaarswind zijn mantel doet opwaaien, zal Mónica hem recht in de bedroefde ogen kijken. En weten: hij kent mijn eenzaamheid. Hij ziet mij.

En Loreta? Die verkoopt behalve loten sinds kort ook ansichtkaarten van het dorp en een boekje met verschillende wandeltochten. Laatst heb ik voorzichtig gepolst hoeveel ze nu eigenlijk weet. Ze schoot in de lach. '*El director,* die loog en bedroog de heleboel bij elkaar. Ik hoorde het meteen.'

'Dat al die snoeren en kabels nergens naartoe liepen?'

'Ik hoorde het aan zijn stem toen hij zijn mond optrok. Maar ja, zo zie je maar weer.'

'Wat bedoel je?'

'Ik dacht dat hij alleen maar dood en verderf kwam zaaien, maar ik heb me vergist.'

Naast de kiosk staat een tafel op schragen en daar verkoopt haar broer tegenwoordig borden en tegels met '*Bienvenido a Los Baños de Calderón*'. Als de belangstelling voor keramiek aanhoudt, en daar lijkt het op, wil hij de bouwval die zijn souvenirwinkel geworden is, grondig aanpakken. Zijn zoon die nu nog ober in Torre is, kan dan met zijn gezin naar Calderón terugkeren en de kiosk overnemen.

Het zwavelbad is deze winter al gerenoveerd en nu weer iedere dag geopend. Mariángela is er sinds kort bedrijfsleidster. Het spelen van de rol van een vrouw die haar hart volgde, heeft haar zelfvertrouwen gegeven. Ze heeft een computercursus gevolgd in Málaga en mij gevraagd haar Engels wat op te poetsen. Tijdens haar eerste conversatieles bekende ze me dat ze grootste plannen heeft met het zwavelbad. Ze droomt van een uitbreiding, van een *fitnesscenter* met dure apparaten. Ik heb daar zo mijn gedachten over, maar die houd ik voor me. Ik ben allang blij dat Mariángela en haar leeftijdgenoten nu werk hebben. Ze durven tenminste weer te dromen, en niet alleen van emigreren of een baan aan de kust.

En ik? Ik ga hier weg. Dat had ik die nacht, in de uren na Lars' verdwijning in het donker, al besloten. Maar het kostte me nog een jaar om de stap te zetten. Sinds een paar weken staat mijn huis te koop. Elisa ben ik het als eerste gaan vertellen, ik wilde niet dat ze het van iemand anders zou horen. Vorige week is er een Engels echtpaar komen kijken. Ze waren laaiend enthousiast, over het uitzicht vooral over het dal en de heuvels in de verte. Ze raakten maar niet uitgepraat over de tuin en de boomgaard. Ook zij begrijpen niet waarom ik hier weg wil, weg uit dit paradijs. En waarom juist nu, nu Calderón uit zijn jarenlange winterslaap ontwaakt?

Ik heb Bernardo negenhonderd euro betaald en daarmee de grafrechten van Ian veiliggesteld. *Por Eternidad,* voor de eeuwigheid, stond er op de koopakte. 'Maar je kunt er natuurlijk ook de rekeningen van de Denen mee betalen. Hiermee kom je vast een heel eind. Zie maar wat je doet. Ian vindt het vast niet erg.'

Bernardo fronste zijn wenkbrauwen toen hij het stapeltje bankbiljetten in ontvangst nam. Hij bedankte me niet maar stelde ook geen vragen. Hij weet dat ik binnenkort vertrek en dat de kans dat ik nog eens uit de school klap gering is.

Zodra het huis is verkocht, ga ik hier weg, naar het noorden, naar Salamanca. Ik kan daar lesgeven. Ik hoop daar eens iets anders te vertalen dan bezwaarschriften. In Salamanca is een universiteit, er zijn theaters en bioscopen. Ik ga proberen een scenario te schrijven, gebaseerd op de gebeurtenissen in Calderón. Wie weet lukt het me een regisseur te vinden die het wil verfilmen. Naar Salamanca... Er is daar meer werk, meer te doen en de mannen zijn er langer.

Verantwoording

De theorie die Carlos op bladzijde 65 en 66 probeert samen te vatten, staat in het boek *Water weet het antwoord* van Masaru Emoto (uitgeverij Ankh-Hermes).